De droom van mijn moeder

Maroesja Perizonius

De droom
van mijn moeder

Het verhaal van een communekind

Nieuw Amsterdam *Uitgevers*

Mijn dank gaat uit naar mijn moeder, Sanne Peek,
Marianna Sterk, Rob Regter, Boudewijn Geels,
Robert 't Riet, Lolies van Grunsven en Jasper Henderson

Het schrijven van dit boek werd mede mogelijk gemaakt dankzij
een subsidie van het Fonds Bijzondere Journalistieke Projecten
(www.fondsbjp.nl)

You and me, us have one heart

Inhoud

Woord vooraf

Ik was drieëntwintig toen ik mijn oorspronkelijke voornaam weer ging gebruiken. Het werd tijd, vond ik, ik had een nieuwe vriend en leerde zijn vrienden net een beetje kennen. Die vrienden, die in mijn ogen stuk voor stuk een normale jeugd hadden gehad, wilden alles weten over mijn bijzondere ervaringen als kind in de Bhagwan-beweging. Ik wilde er best over vertellen, gewend als ik was aan het afdraaien van mijn verhaal.

In een huisje in de Ardennen leidde een van die gesprekken tot een heftige discussie.

'Dus je zat in een sekte,' zei een van die vrienden.

'Nee hoor, wat het ook was, het was géén sekte. Daar stonden we boven. Daar waren we veel te intelligent voor.'

Maar naarmate de avond vorderde, werd het steeds moeilijker het isolement, de arrogantie, de wapens, de Rolls Royces en de schandalen en geruchten rond Bhagwan te verklaren en te verdedigen. Om drie uur in de ochtend kon ik niet anders dan toegeven: de Bhagwan-beweging was een sekte, en tegen dat idee had ik me mijn hele jeugd verzet, zoals het een goede *sannyasin* (volgeling) betaamt.

Uiteindelijk kostte het me nog eens tien jaar om te beseffen dat ik al die tijd andermans standpunten had verdedigd en dat ik nu vrij was om zélf na te denken. Het werd me duidelijk dat ik door de beweging was gehersenspoeld, dat er ongeschreven wetten bestonden waaraan ik me toen hield maar ook jarenlang daarna nog heb gehouden.

Ik besloot een documentaire te regisseren waarin ik korte metten zou maken met die wetten. Ik confronteerde mijn moeder met de vraag waarom zij mij mee had genomen in een voor een kind onveilige wereld. En ik verbrak het stilzwijgen over seks tussen volwassenen en minderjarigen in Bhagwan-communes.

Communekind is een film geworden die veel aandacht in de media kreeg en waarop veel sannyasins hebben gereageerd. Kinderen van toen, inmiddels volwassen, schreven me en vertelden over hun ervaringen, die leken op de mijne. Maar een aantal sannyasins, voornamelijk van mijn moeders leeftijd, bleven volhouden dat er niks 'misging' in de herfst van 1985 maar dat de beweging 'transformeerde'. En zij zeiden: 'Als er sprake is geweest van seks met minderjarigen, dan hadden we dat geweten.'

Andere sannyasins raadden mij aan te mediteren, en niet zo negatief en zielig te doen; alles wat je doet en wat je overkomt is immers je persoonlijke verantwoordelijkheid. Zij raadden anderen zelfs af naar mijn film te gaan kijken. Maar uit eigen ervaring en door gesprekken met sannyasins uit binnen- en buitenland weet ik dat veel communekinderen op jonge leeftijd (eentje zelfs als vierjarige) te maken hebben gehad met misbruik of seks, en hun Bhagwan-tijd als onveilig hebben ervaren.

Nadat de film op filmfestivals en televisie was vertoond, realiseerde ik me dat ik toch had geprobeerd de schade enigszins beperkt te houden. Sommige zaken had ik kleiner gemaakt dan ze feitelijk waren. Toen mij werd gevraagd of ik een boek wilde schrijven over mijn jeugd, wist ik dat dit mijn kans was om het héle verhaal te vertellen.

In dit boek wilde ik proberen op te schrijven hoe ik de Bhagwan-beweging heb ervaren. Algauw begreep ik dat volledig zijn, onvermijdelijk tot een negatief verhaal zou leiden. Maar hoe moest ik het dan wél vertellen? Daar was het monster uit mijn jeugd weer: negatief zijn en uit de school klappen mag niet. Ik vreesde boze reacties van sannyasins. Maar toch heb ik doorgezet, omdat ik het belangrijk vind om duidelijk te maken hoe groepsdruk tot overgave en gehoorzaamheid kan leiden, met alle mogelijke desastreuze gevolgen van dien.

Ik kan me voorstellen dat veel communekinderen net als ik jarenlang hebben geworsteld met wat ze hebben meegemaakt, of zich als vanouds richtten op de positieve dingen. En ik denk dat vrijwel alle sannyasins, jong en oud, moeite hebben of hebben gehad met het besef onderdeel te zijn geweest van een totalitaire alternatieve maatschappij, waarin mensen onderdrukt werden en waar letterlijk sprake was van moord en doodslag. Ikzelf was verbijsterd toen ik las dat op de Ranch (Rajneeshpuram, de grote Bhagwan-commune in Oregon, Amerika) aan de maaltijden die ik bereidde en at vermoedelijk zware kalmeringsmiddelen zoals Haldol werden toegevoegd.

Ik heb getracht mijn ervaringen zo nauwgezet mogelijk te beschrijven. Ik ben in de huid gekropen van het meisje dat op zesjarige leeftijd voor het eerst met haar moeder naar India gaat om Bhagwan te ontmoeten. Ik heb geput uit talloze bronnen* – boeken, krantenartikelen, allerlei afleveringen van de *Rajneesh Times* en andere publicaties – die vaak niet erg betrouwbaar zijn. Veel 'feiten' die de media in die tijd naar buiten brachten over Bhagwan en de beweging, zijn verstrekt door sannyasins zelf. Van daadwerkelijk controleerbare feiten was en is dikwijls geen sprake. Zo is het bijvoorbeeld moeilijk vast te stellen hoeveel volgelingen Bhagwan wereldwijd precies had. Een vaak gehoord aantal is een half miljoen, maar een paar bronnen spreken over niet meer dan dertigduizend sannyasins.

Feit is wel dat wanneer je als voormalig sannyasin-kind de balans wilt opmaken, zoals ik heb willen doen in mijn film en nu met mijn boek, je in de *ashram* in Poona (het hoofdkwartier van de beweging in de jaren zeventig en tegenwoordig nog steeds drukbezocht) op weinig medewerking kunt rekenen. Nadat ik in 2003 keurig een rode jurk had aangeschaft, de verplichte aidstest had gedaan en me had ingeschreven voor een bezoek aan de ashram, werd mij de deur gewezen. 'We willen niets met jou en je project te maken hebben. Je richt je op het verleden terwijl we in het nu leven,' werd er gezegd. Mensen die zich rondom de

---

* Bij het werken aan dit boek heb ik onder andere gebruikgemaakt van de volgende titels:
Guest, Tim, *My Life in Orange*. Londen, Granta Books, 2004. In vertaling verschenen als: *De kleuren van de zon*. Vianen, The House of Books, 2005
Ma Anand Diane (Diane Broeckhoven), *Als een lopend vuurtje*. Amsterdam, Arcanum, 1981
Milne, Hugh, *Bhagwan. The God That Failed*. New York, St. Martin's Press, 1987
Strelley, Kate en Robert D. San Souci, *The Ultimate Game. The Rise and Fall of Bhagwan Shree Rajneesh*. San Francisco, Harper & Row, 1987

ashram begaven en ook de toegang tot het spirituele centrum werd ontzegd, waarschuwden mij om voorzichtig te zijn. Kennelijk worden onderzoekende geesten als bedreigend ervaren. Een kijkje nemen in de archieven was er dan ook niet bij, en als dat wel mogelijk was geweest, is het maar de vraag hoe betrouwbaar deze archieven zijn.

Wat betreft mijn eigen ervaringen: ik heb behalve uit mijn geheugen ook uit mijn dagboek geput en uit brieven die ik heb ontvangen gedurende mijn verblijf in de commune in Engeland en in Amsterdam. Uiteraard zijn ook mijn herinneringen gekleurd, maar ik heb mijn uiterste best gedaan om wat ik heb gezien, gedacht en gevoeld zo getrouw mogelijk op te schrijven. Om redenen van privacy heb ik de namen van een aantal mensen in dit boek veranderd.

De tijd in de beweging en mijn verblijf op de Ranch en in de commune hebben mij gemaakt tot wie ik nu ben, en zeker niet alleen in negatieve zin. Ik heb fantastische, intelligente, lieve en creatieve mensen ontmoet, heb veel van deze mensen geleerd en vrienden voor het leven gemaakt. Bhagwan is verreweg de meest bijzondere persoon die ik ooit heb ontmoet. Veel ideeën en uitspraken van Bhagwan zijn voor mij absoluut waardevol: het is goed om af en toe te stoppen met denken en analyseren en voor een moment stil te staan en te bespiegelen. Om je bewust te zijn van wie je bent.

De jaren tachtig waren gejaagd en voor velen, onder wie mijn moeder, was de oppervlakkigheid teleurstellend. Ik begrijp haar zoektocht naar een levensvorm waarin vrijheid, liefde, waarheid en zelfontplooiing vooropstonden. Zij dacht dat de Bhagwan-beweging haar die mogelijkheid gaf. Maar ik zou er zelf nooit voor hebben gekozen met

mijn kind te gaan wonen in een commune die een verleng-
stuk is van een grotere commune met een man aan het
hoofd die wapens in zijn stad toelaat. Dat mijn moeder dat
wel deed, schrijf ik toe aan haar drang om te experimente-
ren, aan haar utopie, haar droom.

Het zoeken naar de ultieme, alternatieve maatschappij
stond haar, en de andere sannyasins, natuurlijk vrij. Het is
alleen schrijnend dat de vrijheid die zo hoog in het vaandel
stond, juist onvrijheid en een taboe op taboes tot gevolg
had. Alle betrokkenen hebben daar de gevolgen van on-
dervonden in hun persoonlijke leven. Maar vooral de kinderen, die zo jong al als volwassenen werden behandeld
en zo veel op hun bord hebben gekregen, had ik meer vei-
ligheid, rust en balans gegund.

Maroesja Perizonius

Your name is Ma Prem Chandra

1978 Poona, India

'Wat een warme wind,' zeg ik als we op Bombay Airport uit het vliegtuig stappen. Het is bloedheet en het ruikt heel anders dan thuis. Het vliegveld is bezaaid met mensen die op de grond slapen en overal zie ik rode vlekken op de vloer.

Ik ben zes jaar en we gaan naar India omdat mijn moeder een bijzondere man wil ontmoeten. Hij heet Bhagwan en draagt een witte jurk. Er zijn heel veel mensen die bij hem willen wonen en met hem willen praten. Mijn moeder heeft over Bhagwan gedroomd, wat ik vreemd vind want ze kent hem eigenlijk niet. Ze heeft een goede vriendin, die Neeta heet en al een tijdje bij Bhagwan op bezoek is, in een telegram gevraagd of ze ons in Bombay wil ophalen, omdat mijn moeder een verstuikte pols heeft en ook nog voor mij moet zorgen.

We hebben van tevoren prikken gekregen van de dokter. Over eentje heeft hij een pleister gedaan die er drie weken op moet blijven zitten en die niet nat mag worden. Het is een pokkenprik, zegt mijn moeder. En dat hij niet nat mag worden vindt ze lastig omdat het in India regentijd is.

Ik kan me niet voorstellen dat je naar een land toe wilt gaan waar het aan één stuk door regent. Maar mijn moeder vindt het spannend, dat kan ik aan haar zien.

Neeta zwaait en lacht naar ons en neemt ons mee naar het volgende vliegtuig dat naar Poona gaat, de stad waar Bhagwan woont. Ze is vrolijk, vertelt honderduit en ziet er anders uit dan vroeger, met rode kleren aan en een kralenketting om.

Als we in Poona aankomen, waar het trouwens niet regent, moeten we nog met een riksja naar ons hotel: The Grand Hotel. Mijn moeder en Neeta moeten heel erg lachen om deze naam want het hotel is juist hartstikke klein. We krijgen een kamer met drie bedden, een paar stoelen en een tafel. Aan het plafond hangt een ventilator voor koelere lucht, die het zelden blijkt te doen omdat de elektriciteit vaak uitvalt.

'Pas op voor de bedbugs, hè,' zegt Neeta. Ze legt uit dat dit kleine beestjes zijn die in bedden wonen. 'Ze zijn iets kleiner dan kattenvlooien en komen 's nachts op je huid zitten.'

Ik moet overál voor oppassen. Ik mag niet met mijn handen aan mijn ogen zitten en mijn vingers niet in mijn mond stoppen. We mogen geen water uit de kraan drinken en de hele dag door moeten we onze handen wassen. Dat laatste is lastig, omdat er niet zoveel water is: 's ochtends tussen zeven en acht uur en 's avonds tussen vijf en zes. Dan vullen we de ton die in de badkamer staat helemaal tot aan de rand.

Op de muur van de hotelkamer zit een eng dier, maar Neeta zegt dat het juist een goed beest is omdat hij muggen opeet. Het is een gekko en hij is onze vriend. We voeren hem stukjes *chappati*, een Indiaas broodje.

'Wanneer gaan we naar de ashram?' vraagt mijn moeder aan Neeta.

'Eerst moeten jullie nog even wennen, want het duurt ongeveer een week voordat je écht in India aankomt,' antwoordt Neeta. 'De westerse gehaastheid moet er nog even uit.'

Mijn moeder en Neeta weten allebei wat India anders maakt dan thuis. Het heeft iets te maken met stilzitten met je ogen dicht en heel serieus zijn, wat ze bij Bhagwan doen, maar niet in Nederland.

De eerste dag verkennen we Poona met een riksja. De toeterende chauffeurs zijn heel aardig maar maken vaak grapjes over de prijs en dat is vervelend, want alle meters in de riksja's zijn kapot en daarom weet je niet of ze liegen. Indiase mensen willen overal geld voor hebben, zegt mijn moeder. Het is gek om met ze te praten, want ze schudden geen nee en knikken geen ja; ze schudden met hun hoofd heen en weer alsof ze last hebben van hun nek. En dan weet je niet wat ze bedoelen.

Mijn moeder legt uit dat mensen in India arm zijn en dat ze vaak ziektes hebben. Op straat zie ik veel kinderen zonder armen of benen die zich voortbewegen op skateboards. Ook zijn er veel bedelaars die ons aanstaren en hun hand ophouden.

'Waar komen die rode vlekken vandaan?' vraag ik Neeta als we over M.G. Road slenteren, vernoemd naar Mahatma Gandhi.

'Van bladeren waar de Indiërs heel lang op kauwen. Daar worden ze vrolijk van. En als ze klaar zijn, spugen ze die uit op straat.' Neeta vertelt ook over de Sikhs. Als je op straat iets wilt weten, moet je zo'n Sikh met een tulband hebben, want die weten altijd alles.

Buiten wemelt het van de mensen. Je kunt bijna niet over de stoep lopen, overal verkopen mensen op uitgespreide dekens hun waren: eten, plastic spullen, potten en pannen. Ze schreeuwen, roepen en trekken aan je kleren. 'Miss, miss! Extra good price!' Er zijn fietsers, auto's, riksja's en vrachtwagens, maar ook koeien die midden op de weg gaan staan en niet meer verder willen lopen.

Ineens gaat het hard regenen. Mijn moeder beschermt mijn pokkenprik met haar hand terwijl we een winkel in vluchten. Het is een winkel van een fotograaf waar we meteen pasfoto's maken, want die hebben we nodig in de ashram.

'Blijft het nu altijd regenen?' vraag ik. Mijn moeder leert me dat regentijd betekent dat het af en toe flink regent. Het is niet erg want de regen is niet koud, het is eigenlijk net een douche.

We kopen Indiase doeken en prentjes van goden en laten Indiase kleren maken. Ik krijg een mooie lange doek cadeau die ik drie keer om mijn middel moet wikkelen en een bloesje dat mijn buik bloot laat. Op de markt kopen we papaja's en granaatappels en bij de yoghurtman halen we Indiase yoghurt, die we mee krijgen in een plastic zakje met een touwtje eromheen.

Terug in het hotel bestellen we drie glazen warme melk, maar even later komt de hotelbediende terug met het bericht dat hij helaas maar twee glazen heeft. Ook het bereiden van onze maaltijd geeft problemen. Mijn moeder heeft een blikopener nodig, die in de kast van de hotelkeuken ligt. Maar daar kunnen we niet bij. De sleutel van de kast zit in de broek van de hoteleigenaar en die ligt in bad.

Ik maak tekeningen en leer Indiaas van Neeta. Als je wilt dat iemand weggaat, roep je hard: 'Chello! Chello!'

En je zegt 'Acha!' als je duidelijk wilt maken dat je begrijpt wat iemand tegen je zegt.

Om de tijd te doden tot we écht zijn aangekomen in India, zingen we liedjes. Omdat Neeta net als wij een beetje Indonesisch is, zingen we 'Wat brandt daar op de bergen? Tukang kaju njang bakar kaju', wat 'het lichtje van de houthakker' betekent. En we zingen het liedje over de planter in Maleisië. We oefenen met dingen op ons hoofd zetten en dan recht door de kamer lopen, net zoals de Indiase vrouwen, en we tekenen rode stippen op ons voorhoofd.

Als het bijna tijd is om naar de ashram te gaan, legt Neeta mijn moeder uit dat er allerlei regels zijn waaraan je je moet houden als je bij Bhagwan op bezoek wilt. Eerst moet je je melden bij een kantoor en de reden opgeven van je bezoek aan Bhagwan. Als ze genoegen nemen met het antwoord, mag je een keer bij een lezing zitten. De lezingen worden elke morgen in het Engels of Indiaas gehouden en dat wisselt elke paar weken. Vervolgens kun je sannyasin worden. Maar mijn moeder wil helemaal geen sannyasin worden en ik ook niet. Ze wil alleen Bhagwan ontmoeten, een pakketje afgeven aan een kennis van opa, een vrouw die voor Bhagwan werkt, en een kijkje nemen.

We fietsen, want het is te duur om steeds een riksja te nemen. Het is een lange tocht waarbij we over een grote brug komen waar allemaal mensen onder wonen. Langzaam wordt het minder druk en komen we in een wijk met bomen en grote huizen. Als we door een lange straat fietsen met aan weerszijden grote villa's en veel westerse mensen in rode kleren, roept mijn moeder: 'Hier heb ik over gedroomd! Dit is de ashram!'

'Klopt,' zegt Neeta. 'Maar dit is wel de achteringang.'

Ik probeer te begrijpen waarom Bhagwan zo bijzonder is.

'Het is alsof hij alles weet,' zegt mijn moeder. 'Hij kan bijna door je heen kijken.'

Neeta en mijn moeder hebben het er steeds over dat Bhagwan 'verlicht' is. Ik denk daarbij aan lampen, maar dan moeten ze lachen en leggen uit dat het betekent dat Bhagwan dingen weet die anderen nog niet weten. 'Dat het bij hem licht is waar het bij ons nog donker is.'

Als mijn moeder op het kantoor vertelt dat ze een pakketje heeft voor Aditi, blijkt dat zij een heel belangrijke vrouw is. Voor een afspraak moet ze in een rij gaan staan. Als ze Aditi eindelijk ontmoet blijken ze elkaar allang te kennen. Ze hebben op dezelfde universiteit gezeten. Vervolgens praten ze over de ashram en hoe alles werkt.

'Wil jij Bhagwan ontmoeten? Wil je sannyasin worden?' vraagt Aditi aan mijn moeder. 'Je wilt zeker wel een afspraak met hem?'

'Of ik sannyasin wil worden, wil ik aan hem overlaten, maar ik wil hem wel ontmoeten.'

Aditi moet hier hard om lachen en omhelst mijn moeder. 'We weten allemaal wat er dan gaat gebeuren.'

Neeta geeft ons daarna een rondleiding in de ashram. De ingang, een grote poort met twee houten deuren, is indrukwekkend. De ashram zelf is een soort vakantiepark. Er zijn schone wc's in plaats van gaten in de grond, er is vers drinkwater en je kunt er veilig en gezond eten. Er zijn een postkantoor, een cafetaria, kleine winkeltjes en overal zijn marmeren muurtjes om te zitten, zodat je naar de mooie planten en bomen kunt kijken en naar de watervalletjes die de sannyasins hebben gebouwd. Er zijn weinig Indiërs en niemand lijkt er arm.

Na een paar lezingen mag mijn moeder al naar een

sannyas darshan toe, een avond waarop Bhagwan aan mensen die sannyasin willen worden, een Indiase naam en een ketting, een *mala*, geeft met zijn afbeelding erop. Mijn moeder wil geen leerling worden maar ze vertelt wel veel over Bhagwan in het hotel, waar Neeta en ik zijn achtergebleven.

'Maar als hij bijna door je heen kan kijken, kan hij dan zien wat je denkt?' vraag ik.

'Misschien kun je dat wel zo zeggen,' antwoordt mijn moeder.

Vreemd, een man die kan zien wat je denkt. Geen wonder dat hij bijzonder is.

Mijn moeder is verdrietig omdat Aditi tegen haar heeft gezegd dat ze nu eigenlijk rode kleren zou moeten gaan dragen, want dat is de kleur van de dageraad, en Bhagwan wil dat iedereen die de ashram bezoekt in het rood gekleed gaat. Ze had dan wel gedroomd over Bhagwan, ze was niet van plan bij een goeroe in de leer te gaan, vertelt ze aan Neeta. Ik weet niet wat een goeroe is, maar Neeta kijkt alsof ze mijn moeder volledig begrijpt en geeft haar een boek van Bhagwan, *Ik ben de Poort*, over sannyasin worden. Als Neeta en ik borduren, leest mijn moeder het boek door en zegt voordat ze gaat slapen: 'Bhagwan vertelt dat als je over jezelf kunt dromen in rode kleren, je deze niet meer hoeft te dragen. Dat ga ik nu proberen.'

Neeta en ik proberen het ook. Maar ik droom over grote koeien en over yoghurt in een zakje.

De volgende keer dat mijn moeder naar een sannyas darshan gaat, een week later, mag ze met Bhagwan praten. Ze merkt wel of hij haar sannyasin maakt, zegt ze. Ik mag ook mee, maar krijg de dag ervoor oogontsteking. Ik heb kennelijk toch met mijn vingers in mijn ogen gezeten. Neeta haalt rozenwater bij de drogist en druppelt het in mijn ogen.

Als je iets mankeert, bijvoorbeeld zoals ik een oogontsteking hebt, mag je niet dicht bij Bhagwan komen. Hij is allergisch voor stof en luchtjes en heeft allerlei aandoeningen. En omdat hij zo belangrijk is, moet je met een ontmoeting wachten tot je beter bent. Als je in de buurt van Bhagwan wilt komen, zoals tijdens een lezing, moet je eerst door een poortje gaan waar twee mensen staan die je als een hond besnuffelen. Ze letten erop dat je niet naar shampoo, zeep of parfum ruikt, want daar kan Bhagwan niet tegen. Mijn moeder mag er gelukkig door. Ze heeft nu toch een rode jurk gekocht, ook al is het haar gelukt over zichzelf in rode kleren te dromen, want anders dan het boek zegt is het sowieso verplicht.

Als mijn moeder terugkomt van de sannyas darshan, vertelt ze dat Bhagwan haar sannyasin heeft gemaakt. Ze ziet er nu precies hetzelfde uit als alle andere mensen in de ashram, met een lange kralenketting om. Hij heeft haar ook een nieuwe naam gegeven: Ma Anand Rupi. Haar naam staat op een papier met gouden letters. Je moet het uitspreken als: Roepie. De woorden betekenen 'de vorm van gelukzaligheid' en mijn moeder legt uit dat ze van Bhagwan nu vooral moet letten op liefde en schoonheid, dat die in alle dingen op aarde zitten.

Iedereen is nu hetzelfde geworden, behalve ik. Iedereen heeft een ketting en een naam. Ik wil er ook bij horen. Wat voor naam zou Bhagwan voor mij verzinnen?

'Ik wil het ook,' zeg ik de volgende dag tegen mijn moeder. 'Ik wil ook zo'n ketting en een leuke naam!'

'Je hoeft het niet te doen omdat ik het doe,' zegt mijn moeder.

'Maar ik wil het zelf,' roep ik.

Mijn moeder houdt vol dat ik haar niet hoef na te apen. Maar als ik na een paar dagen nog steeds sannyasin wil worden, maken we bij Aditi een afspraak voor een sannyas darshan. Ik moet zelf tegen Aditi zeggen dat ik sannyasin wil worden.

Voor de afspraak met Bhagwan kopen we een oranje jurkje voor mij. Ik ben zenuwachtig, en voel me precies hetzelfde als toen ik op 5 december bij Sinterklaas op schoot moest zitten om te horen of ik stout of lief was geweest. Net als Sinterklaas heeft Bhagwan een stel Pieten om zich heen zitten die alles in de gaten houden. Van Sinterklaas weet ik dat hij niet bestaat. Maar Bhagwan is wel echt, net als zijn lange baard.

Ik zit naast mijn moeder. Ze heeft uitgelegd dat het de bedoeling is dat ik precies doe wat Bhagwan vraagt, zoals je ogen open- of dichtdoen. Als hij wat zegt, dan vertaalt ze het, want ik versta weinig Engels.

Als mijn naam wordt geroepen, schuif ik naar voren en ga op mijn knieën zitten, net als de andere aanwezigen. Het is stil geworden in de zaal. Van dichtbij is Bhagwan een imposante man. Zijn jurk is spierwit met een scherpe vouw op de mouwen. Zijn baard is gekamd en hangt op zijn borst. Hij ruikt nergens naar. Bhagwan kijkt me aan en lacht, maar ik ben toch een beetje bang. Hij buigt naar links en iemand reikt hem een piepklein kralenkettinkje aan. Ik moet vooroverbuigen en Bhagwan hangt de ketting om mijn nek. Mijn haar zit nog onder de ketting, wat kriebelt. Dan zegt hij 'Close your eyes', wat mijn moeder vertaalt. Ik doe mijn ogen dicht en Bhagwan legt zijn duim op mijn voorhoofd en houdt hem daar een tijdje. Nu pas begrijp ik echt dat hij bijzonder is want zijn hand wordt heel erg warm. Zo warm zijn handen nooit.

Omdat hij kan zien wat je denkt en ik nu bij hem zit, besluit ik aan gekke dingen te denken, want dan moet hij die dingen gaan zeggen. Ik denk aan blote mensen, daar durft hij het vast niet over te hebben. Maar ineens lacht iedereen en zegt mijn moeder: 'Je mag je ogen weer opendoen hoor.' Ik doe ze open en zie voor het eerst Bhagwans tanden omdat hij breeduit lacht.

Een vrouw naast hem geeft hem een papier aan waarop hij een naam schrijft die hij hardop voorleest: 'Your name is Ma Prem Chandra.' Dat betekent Maan van Liefde, hoor ik van mijn moeder. 'Mensen met de maan in hun naam moeten dansen bij volle maan, dat is goed voor ze. Wil jij nog wat zeggen of vragen?'

Ik weet niks te zeggen. Er zijn zoveel mensen bij. Misschien lukt dat beter als Bhagwan bij ons langskomt. Omdat ik niet heel lang kan nadenken, zeg ik maar: 'Kraaierstraat 38, Leiden, voor als je een keer thee wilt komen drinken als je in Nederland bent.' Mijn moeder grinnikt en probeert tegelijkertijd te vertalen. Dan buldert de hele zaal van de lach. 'Ja,' legt mijn moeder later uit, 'dat wil iedereen natuurlijk wel, dat Bhagwan een keer thee komt drinken.'

Na de ceremonie, die heel lang duurt omdat veel andere mensen ook sannyasin worden en Bhagwan lang met ze praat, bestudeer ik mijn kinderketting. De ketting heeft 108 kraaltjes van heel donker rozenhout. Onder aan de ketting hangt een piepklein fotootje van Bhagwan. Eigenlijk zijn het twee foto's, want aan de andere kant zit dezelfde foto. De ketting glanst omdat hij is ingesmeerd met olie. Om hem mooi te houden moet je dat regelmatig doen.

'Hoe heet ik ook alweer?' vraag ik de volgende ochtend aan mijn moeder. Ik vergeet steeds dat ik er nu bij hoor en een nieuwe naam heb. We oefenen met roepen. 'Chandra? Chaaaaandra!' Het klinkt heel anders dan Roesja. 'Ruupiiiii,' roep ik terug. Ma Prem gebruik je alleen voor officiële dingen. *Ma* gebruik je als je een vrouw aanspreekt die je niet kent, en *swami* als het een man betreft. 'Ma Prem' gebruik je ook om de verschillende Chandra's uit elkaar te houden. Sommigen heten Ma Anand Chandra of Ma Deva Chandra. Neeta vertelt dat Chandra ook een van Bhagwans voornamen is. Dat is een eer, vindt ze. Eigenlijk is het in India een jongensnaam. Ik heb nog geluk, zegt ze, want sommige mensen hebben een heel ingewikkelde naam, die voor Nederlandse vrienden moeilijk te onthouden is.

Nederland, denk ik, is nu heel ver weg. Wat zouden papa en oma ervan vinden dat ik nu anders heet? Gelukkig kent nog niemand mij op mijn nieuwe school in Leiderdorp. Ik begin na de vakantie in de eerste klas, waar ik sta ingeschreven als Maroesja.

Mijn moeder heeft een vriend leren kennen in de ashram. Ze stond bij het postkantoortje waar tientallen mensen elkaar verdrongen om de lijsten te bekijken waarop staat wie er post heeft ontvangen. Ze kon niets zien totdat ze ineens werd opgetild door een man. Hij heet Bodhi en is heel gezellig. Hij werkt in de ashram en we komen hem vaak tegen. We zien hem ook weleens buiten de ashram, dan drinken we thee met zijn vrienden en zitten we op matrassen op hun hotelkamers. Het gesprek gaat meestal over Bhagwan, de ashram of over India en reizen.

Sinds we sannyasin zijn geworden, gaan we niet elke dag naar de ashram. Mijn moeder wil namelijk ook wat van India zien en daarom maken we dagtrips – we gaan buffels kijken die in de rivier zwemmen, we bezoeken kloosters, hangen aan de touwen die uit bomen komen, kijken naar rode en groene papegaaien, drinken overal chai, Indiase thee met melk, en bewonderen dansende cobra's.

Op M.G. Road kopen we kleding en sieraden die we mee naar Nederland kunnen nemen. We krijgen ook nog iets bijzonders cadeau, want Bhagwan wil graag aan alle mensen die in juli en augustus sannyasin zijn geworden een doosje van rozenhout geven.

'Wat zit erin?' vraagt mijn moeder aan een ma.

'Er zit een haar of een nagel in van Bhagwan zelf. Maar je mag het doosje nooit openmaken. Hij heeft dit laten maken zodat iedereen een klein beetje van zijn energie mee naar huis kan nemen. Als je het openmaakt, verdwijnt het.'

Sommige doosjes zijn heel hoekig, andere zijn rond. Je kunt ze volgens mij niet makkelijk openmaken. Ik kies een ronde die heel glad voelt.

'Je moet er wel voorzichtig mee zijn, hè,' waarschuwt mijn moeder.

Ik vind het lief van Bhagwan dat hij me een doosje heeft gegeven en besluit het goed te bewaren en niet open te maken. Ik vind sowieso veel mensen die we in de ashram ontmoeten lief. Ze zijn een beetje apart, want ze omhelzen elkaar steeds. Misschien hebben ze elkaar heel lang niet gezien, maar zo ziet het er eigenlijk niet uit. Ze omarmen elkaar langdurig en slaan hun armen helemaal om elkaar heen. Vaak gaan ze erbij huilen of lachen. Mannen omhelzen mannen, of vrouwen, dat maakt niet uit.

Het is ook normaal dat als je met elkaar zit te praten, je elkaar aanraakt. Een hand vasthouden of een arm op een knie leggen. En dat je vaak je ogen dichtdoet en helemaal niets zegt.

Rupi vertelt dat Bhagwan wil dat zijn volgelingen ook 'groepen' doen. Dat is een soort les van een paar dagen of een paar weken waarbij je je concentreert op één ding. Bijvoorbeeld op hoe je gezin vroeger was of waarom je nooit gelukkig was op je werk. Sommige groepen zijn heel heftig; sannyasins mogen dan dagenlang niet praten of moeten een beetje met elkaar vechten om hun boosheid kwijt te raken. 'Oude patronen loslaten heet dat,' zegt Rupi. Ik begrijp er niet veel van.

De naam die Bhagwan je geeft kan hierbij helpen, want met je nieuwe naam kun je helemaal opnieuw beginnen. Ik vraag me af of alle mensen eerst heel ongelukkig waren en nu door Bhagwan eindelijk blij kunnen zijn. Het lijkt er wel op.

Het einde van de vakantie nadert snel. Neeta blijft, maar wij moeten weer terug. Mijn moeder gaat de laatste dagen extra vaak naar Bhagwans lezing. Ik blijf dan met Neeta achter in het hotel, waar we borduren en breien. We kennen de mensen daar al goed; op de laatste dag nemen we van al het personeel een foto.

De terugreis vanuit India is vermoeiend. Onze tassen zijn zwaarder dan op de heenweg omdat we veel spullen hebben gekocht. Op Heathrow, als we al een groot deel van de reis achter de rug hebben en alleen nog van Londen naar Amsterdam moeten, worden we aangehouden door een douanier. Hij wil in al onze tassen kijken en is onaardig.

'Je hebt zeker hasjiesj bij je, omdat je uit India komt?' snauwt hij tegen mijn moeder.

Mijn moeder heeft geen hasjiesj bij zich, maar de man vindt wel een zilveren pillendoosje in haar tas met een half opgegeten Fisherman's Friends erin. Hij haalt het snoepje eruit.

'Kijk, daar hebben we wat. Dit gaat naar het lab.' Hij roept er een andere man bij die het doosje meeneemt.

Mijn moeder roept nog: 'Dat is een snoepje!', maar de man denkt dat hij ons te pakken heeft. 'Zeg maar dag tegen je dochter, je gaat de gevangenis in.'

'Hij zegt dat ik de gevangenis in moet, maar dat is niet zo, hoor,' zegt ze tegen mij.

De douaniers nemen mijn moeder mee naar een kamertje waar een vrouwelijke beambte haar gaat onderzoeken. Als ze terugkomt, ziet ze bleek. De douanier speurt nog in andere tassen, maakt de kleine prentjes van hindoegoden kapot en scheurt boeken uit elkaar.

'Bij die Bhagwan-meneer geweest, zeker?' zegt hij. 'Daar zijn er meer van. Jullie vallen wel op.'

De andere man komt terug met de boodschap dat het inderdaad een snoepje is. Maar het doosje waar het snoepje in zat vertoont wel sporen van hasjiesj.

'Dat komt omdat ik het op een Indiase rommelmarkt heb gekocht,' zegt mijn moeder. 'Het is waarschijnlijk tweedehands. Als dit nog lang duurt, missen we onze vlucht naar huis.'

De man kijkt op zijn horloge en dan naar ons. Ik probeer heel moe te kijken, wat niet moeilijk is. Gelukkig besluit hij dat we door mogen reizen.

Is dat soms je opa?

1978-1983 Leiden

Terug in Nederland is het koud en ik voel me raar in de rode kleren die we hebben gekocht. Rupi houdt ze nog een
tijdje aan, maar ik wissel ze zo snel mogelijk om voor mijn
gewone kleren. Het is een gek idee dat je hier gewoon water uit de kraan kunt drinken en dat alles schoon is.

Mijn oma reageert geschokt op onze nieuwe namen en
kleding. Dat past helemaal niet bij haar idee van netjes en
zoals het hoort. Ik merk al snel dat mensen verbaasd zijn
over het feit dat we sannyasin zijn geworden. Mijn vader
wist het al door de brieven die we hem en zijn tweede
vrouw hebben geschreven, maar trekt toch zijn wenk-
brauwen op. Stiekem had hij wel boeken van Bhagwan
gekocht, uit nieuwsgierigheid naar wat wij deden, vertelt
mijn moeder. Maar het blijft bij het kopen van boeken,
want hij moet er niet aan denken zelf sannyasin te worden.

Ik kies zorgvuldig mijn kleren uit voor mijn eerste schooldag en doe ook mijn mala om. 'Zou je dat wel doen?'
vraagt mijn moeder. Ze brengt me in verwarring met haar

vraag. Zij heeft hem toch ook om? We zijn toch serieuze sannyasins? Dus ik besluit hem om te houden.

Ik kom er al snel van terug. Meteen de eerste dag roept een jongen uit mijn klas: 'Hé, is dat soms je opa? Of is het je hond?'

Omdat ik geen antwoord op de plagerijen weet, doe ik de ketting af, om hem de rest van het jaar niet meer om te doen.

Het komt erop neer dat ik thuis Chandra heet, soms rode kleren aan heb en mijn mala draag. Bij mijn vader en oma heet ik Roesja en heb ik aan wat ik wil. En op school heet ik Maroesja.

Thuis doet mijn moeder steeds meer sannyasin-dingen. Ze doet de *kundalini*-meditatie in de keuken. Dan moet je een uur lang met je lichaam schudden, op Indiase muziek. Soms doet ze ook de *nadabrahma*, dat is leuker want dan kun je gewoon stilzitten en cirkels maken met je handen terwijl je humt.

Net als de andere sannyasins heeft Rupi in huis foto's opgehangen van Bhagwan en draait ze bandjes met lezingen erop. Als ik thuiskom van buiten spelen hoor ik vaak zijn stem al. Maar sannyasin zijn betekent vooral dat je het vaak over Bhagwan hebt, of over jezelf, het liefst met andere sannyasins, en dat je veel mediteert zodat je verlicht kunt worden. We doen ook veel Indiase dingen, zoals eten op een kleed op de grond en veel kaarsen branden en wierook.

Op een dag maken we samen stiekem de Bhagwandoosjes open. We snuiven aan de Indiase lucht die erin zit. Er zit bij mij inderdaad een haar in. Rupi heeft ook een haar, waar de wortel zelfs nog aan lijkt te zitten.

De 'gewone' vrienden van mijn moeder stellen veel vragen over Bhagwan. Eigenlijk vinden ze haar niet zo'n type voor een 'meester' die haar dingen vertelt, omdat ze altijd zo eigenwijs is. Maar ze kan hun goed vertellen hoe het zit: ze is geen volgeling, ze vindt Bhagwan gewoon mooi en interessant. Dat ze steeds vaker rode kleren draagt, merkt ze zelf eigenlijk niet eens. Als we samen kleren kopen in de stad, zegt ze vaak dat iets leuk is, als het rood is. Ik heb nu een rode jas, rode laarsjes, een rode ophaalrok en een rode netpanty.

Ik mag mijn moeder nu niet meer bij haar voornaam noemen. Ik mag haar ook geen mama noemen, want dat vindt ze onzin. Dan zegt ze: 'Ja, dochter?' Ik moet nu dus altijd Rupi zeggen, ook als ik alleen met haar ben. Op het schoolplein, als ze mij komt ophalen, vind ik dat vervelend. De andere kinderen hebben een moeder die er gewoon uitziet en die vast niet trillend, schuddend en zwetend in de keuken staat te mediteren, en ze heten ook allemaal mama. Meestal roep ik mijn moeder niet, en gil ik 'hoi' of 'hallo'.

Papa, die gewoon papa heet, vraagt veel dingen aan mij als ik bij hem logeer. Wat ik van Bhagwan vind, hoe mijn moeder erover denkt. Hij vindt Bhagwan zelf maar een rare vogel. Papa weigert mij Chandra te noemen. 'Ik heb je toch zelf Roesja genoemd?'

Als de telefoon gaat wordt het heel ingewikkeld, want ik weet niet welke naam ik moet gebruiken. Wat als het een sannyasin-vriend is van Rupi, die niet weet dat ik eigenlijk Maroesja heet? En als ik opneem met Chandra, en het is mijn vader?

In Leiden kennen we maar een paar sannyasins, die soms bij ons thuis langskomen. Ze drinken dan chai en kletsen lang met mijn moeder. Soms luisteren ze samen naar een bandje met een lezing of muziek en bekijken een boek van Bhagwan. Een sannyasin vertelde dat er een woongroep is in Leiden met mensen die samen een sannyasin-centrum willen oprichten. Zo kunnen er makkelijk nieuwe mensen bij komen die dan misschien ook sannyasin willen worden. En daar kunnen dan meditaties en feesten worden gehouden. Ze willen een plek die op de ashram lijkt.

Op school gaat het goed, maar iedereen weet wel dat ik anders ben. De meester vraagt of wij thuis kerst vieren. Ik voel me een beetje speciaal omdat mensen mij vragen stellen.

We vieren trouwens gewoon kerst. Alleen niet met kerstballen maar met aluminiumfolieballen en soms ook zonder kerstboom. Rupi vindt kerst commercieel. We gaan op eerste kerstdag altijd naar mijn oma, bij wie we met de familie eten. Oma wil graag dat we er leuk uitzien, meestal trekken we dan een rode jurk of rok aan. Mijn moeder moet van oma altijd haar haar nog even kammen. Bij papa vier ik natuurlijk ook kerst.

Maar we vieren ook nieuwe dingen, bijvoorbeeld Guru Poornima Day. Dat is de dag waarop je viert dat goeroes of meesters, zoals Boeddha en Bhagwan, bestaan, en het valt in de zomer. Dan branden we veel kaarsen, zoals dat hoort in India. En Bhagwans verjaardag, op 11 december, vieren we natuurlijk ook, net als de dag dat hij verlicht werd, Mahaparanirvana Day, op 21 maart. Op onze verjaardagen, niet de gewone maar de sannyasin-verjaardagen, vieren we onze nieuwe leeftijd, vanaf het moment dat we sannyasin zijn geworden.

De meeste vriendjes van mijn moeder zijn geen sannyasin maar worden dat in de loop van de tijd wel. Je hoeft daarvoor niet meer helemaal naar India om Bhagwan zelf te ontmoeten, maar je kunt hem een brief schrijven met daarin de vraag of je sannyasin mag worden. Je krijgt dan antwoord met een nieuwe naam. Je ketting kun je in ontvangst nemen tijdens een ceremonie in een sannyasin-centrum, bijvoorbeeld in Den Haag, Amsterdam of Rotterdam.

Op het 'Orange Full Moon Festival', in een stadion te Amsterdam, vieren we Guru Poornima Day met veel andere sannyasins en belangstellenden. Er wordt muziek gemaakt en er worden veel nieuwe mensen sannyasin. Het is een bijzondere dag. Nu kun je pas echt zien met hoeveel we al zijn. Het gekke is alleen dat iedereen het over Bhagwan heeft en over het feit dat hij niet meer in Poona is. Ze zeggen dat hij misschien aan het reizen is, omdat hij last heeft van zijn rug en in India geen behandeling kan krijgen. Mensen maken zich zorgen maar tegelijkertijd zeggen ze dat ze Bhagwan moeten vertrouwen. Het zal wel goed met hem gaan en hij komt wel weer terug. Ze vertellen dat Bhagwan geen lezingen meer gaat geven. Hij neemt een pauze, want hij heeft voorlopig genoeg gezegd. Als hij ons toch iets te vertellen heeft, zal hij het doorgeven via zijn assistenten. Het is, hoewel Bhagwan verdwenen is, een heel gezellige dag.

Het is nog niet mogelijk om sannyasin te worden in het sannyasin-centrum in Leiden, want dat is nog in oprichting. Het is de bedoeling dat er beneden een meditatieruimte, een bar en een koffiehuis worden gemaakt. Ik mag in het weekend meehelpen verven. Op de ramen komt de naam van het centrum te staan: *Shanti Niket*. Bhagwan heeft die naam verzonnen nadat ze hem in een brief hadden gevraagd hoe het nieuwe centrum genoemd moest worden.

Het verven doen we in overalls en met muziek van The Beatles op. Omdat mijn mala in de weg zit, maar het niet de bedoeling is dat je hem gedurende de dag afdoet, haal ik mijn arm door de ketting zodat hij half op mijn schouder hangt. Met grote verfrollers maken we alle muren wit. Ik vind het spannend, de Breestraat ligt midden in het centrum van Leiden en het zal nu niemand meer ontgaan dat we met veel sannyasins zijn.

Sowieso valt de Bhagwan-beweging meer op. Sommige kranten schrijven over Bhagwan en er worden ook steeds meer boeken over Bhagwan verkocht, zoals het boek *Oorspronkelijk gezicht* van Jan Foudraine, die bij ons op bezoek is geweest.

Als mijn moeder en ik naar de markt gaan, roepen mensen ons na. 'Hé, daar loopt de Bhagwan!' De meeste mensen zijn niet erg aardig. Ik wou soms dat ze het niet aan ons konden zien. Maar mijn moeder wil alleen nog maar rode kleren dragen. Die zijn alleen niet altijd te krijgen, want dat hangt van de mode af. Daarom verft mijn moeder de kleding die ze al heeft. De binnenkant van de wasmachine verkleurt daardoor en de was die niet rood hoeft te worden, zoals lakens, wordt ook roze. Dat ziet er heel vies uit.

Shanti Niket wordt geopend met een groot feest. Er zijn veel mensen en meer dan de helft is sannyasin. Sommige mensen hebben kinderen. Het zijn eigenlijk de eerste sannyasin-kinderen die ik ken, wat jonger dan ik.

Op het feest wordt eerst een videolezing van Bhagwan

vertoond. Daarna wordt er uitbundig gedanst, maar ik sta aan de kant want ik hou helemaal niet van dansen en zeker niet van hoe ze het hier doen. Net als in India dansen mensen met hun ogen dicht, gaan hun armen alle kanten op en zuchten en zweten ze veel. Dan komt Narendra naar me toe.

'Waarom sta je aan de kant? Laat jezelf eens gaan, je energie moet stromen hoor, van Bhagwan.'

Ik heb geen zin om mijn energie te laten stromen en denk aan de partijtjes van mijn klasgenoten. Daar danst nooit iemand. Maar schoorvoetend zet ik me ertoe en begeef me op de dansvloer. Als het moet, dan moet het, want hier is het wel normaal.

Narendra komt soms bij ons op bezoek. Hij is shiatsumasseur. Mijn moeder krijgt weleens zo'n massage en ze wil dat ik er ook een neem omdat ik vaak zo moe ben. We maken een afspraak en ik onderga de vreemde massage. Eigenlijk masseert hij niet echt, maar drukt hij op bepaalde plekken, zoals aan de zijkanten van je hoofd. Ik word er een beetje zenuwachtig van. Het is heel lang stil en het lijkt op mediteren.

Later zegt mijn moeder dat Narendra vindt dat ik me goed kan ontspannen, maar dat ik wel veel met mijn vingers friemel. Nou én, denk ik. Waar bemoeit hij zich mee?

Ik ben blij dat mijn klasgenoten me niet kunnen zien op dit soort momenten. Ik doe op school mijn best om er zo goed mogelijk bij te horen. We doen dansjes op 'Thriller' van Michael Jackson, dat ik ken omdat sannyasins daar ook wel op dansen, en op 'Grease', wat ik niet ken. Ik voel me stom dat ik deze muziek nog nooit gehoord heb, ik ben echt de enige. In de eerste klas zong ik al: 'Ik ben verliefd op John Travolta', maar ik wist eigenlijk niet wie dat was. Nu leer ik de nummers vanzelf. Mijn moeder vindt het heel slechte muziek vergeleken met Joan Armatrading en Van Morisson. 'Je hoeft toch niet mee te doen met de meute, met wat iederéén goed vindt?' zegt ze. Maar ik vind van wel.

De klas wordt langzaamaan gemener. Het bijzondere van mijn kleding en het feit dat ik thuis anders heet dan op school is er wel af. Afgezien van een paar vriendinnetjes, wier ouders me raar vinden, zijn mijn klasgenoten niet in mij geïnteresseerd. Sterker nog, ze pesten me en apen me vaak na. Ene Bianca lukt het de hele klas tegen mij op te zetten. Ik vlucht de bosjes in maar ze achtervolgen me. Ik kan me nauwelijks verweren.

Wat niet helpt is dat mijn moeder leesmoeder wil zijn op school. In een rode jurk, met haar mala om en ongekamd haar verschijnt ze in de gang. Ik schaam me dood en wil eigenlijk niet met haar gezien worden.

De kerstdagen brengen we door in een extra groot sannyasin-centrum vlak bij Soest, dat wordt geleid door een man die Santosh heet. Hij is zelf sannyasin maar ook een soort goeroe en doet iets met hypnosetherapie. Mijn moeder gaat een cursus bij hem volgen. Ik heb best zin om te gaan, want ik mag er misschien in de keuken werken.

Het centrum ligt in een bos. Er zijn veel sannyasins uit Leiden en Amsterdam. Die volgen overdag allemaal een cursus en praten dan niet. Ik vind het er erg saai.

Ik mag inderdaad in de keuken werken, met Malika die kok is. Samen kijken we in de kookboeken om iets te bedenken voor het kerstdiner, maar het lijkt me allemaal minder lekker dan het kerstdiner bij oma of papa. En ik mis ook de Top 100 Aller Tijden op de autoradio omdat we dus niet naar Den Haag rijden.

's Ochtends doen we sannyasin-aerobics. Ik heb mijn roze aerobicspak en mijn roze beenwarmers aan. De anderen dragen rode gympakken. Daarna gaat iedereen mediteren, maar ik ga naar buiten. Het leukste vind ik hier PP. PP betekent dat iedereen een halfuur keihard een huishoudelijk klusje doet. Het maakt niet uit wat je doet, als je maar even heel hard werkt en iets nuttigs uitvoert. Daarna is alles weer schoon.

Het is alleen maar echt gezellig met theetijd, 's ochtends om half elf en 's middags om half vier. Iedereen is dan ineens veel vrolijker, eet cake en hangt buiten rond. Behalve de mensen die vanwege hun cursus niet mogen praten natuurlijk, die zijn chagrijnig. Zij praten vooral 's nachts in hun slaap en dat kan best lawaaiig zijn.

Er zijn niet veel kinderen, behalve Deeva en haar zusje. Ze wonen met hun moeder in een caravan in de tuin van het centrum. Ik ga er soms langs om spelletjes te doen.

Tijdens het kerstfeest komen er meer sannyasins, onder wie moeders met kinderen. Een van die kinderen staat me een tijdje aan te kijken. Ze praat met haar moeder terwijl ze allebei naar me staren. Ze hebben het over mij, denk ik.

'Hebben jullie het over mij?' vraag ik, terwijl ik naar hen toe loop.

'Ja, we hadden het over jou. Hoe heet jij?'

'Ik heet Chandra, en jij?'

'Ik heet Sajala. En dit is mijn zus.' Haar grote zus begint over judo. Op de matrassen, boven in de meditatieruimte, judoën we, net zolang tot hun moeder naar huis wil. Sajala woont ver weg, maar we spreken af dat we elkaar brieven zullen schrijven.

Na de kerstdagen wordt het weer rustig in het centrum, en gaan mijn moeder en ik ook bijna terug. Er is niks meer te doen. Ik probeer te schrijven in mijn dagboek, maar daarvoor is het net weer niet rustig genoeg. Mensen lopen steeds heen en weer. Soms is er een *meeting* over Bhagwan omdat er nieuws is, en daarna doen we PP en mediteren we. In plaats van mediteren pik ik een bakje slagroom uit de grote ijskast en drink het helemaal leeg.

Er is nieuws over Bhagwan, vertelt Rupi een paar weken later. Wat ik ervan begrijp is dat Bhagwan in Amerika wil wonen. De ashram in Poona is te klein geworden en daarom wilde hij een nieuwe commune opzetten. Maar hij mag er van de Amerikanen niet blijven want ze zijn bang voor hem. Waarom? Hij doet toch niemand kwaad? Mijn moeder vindt, net als de anderen, dat Bhagwan in Amerika moet mogen wonen. Daarom gaan we met spandoeken voor hem demonstreren.

Het is koud, maar in Brussel krijgen we het snel warm. We lopen door de straten en met z'n allen zingen we op de wijs van 'America' van de musical *West Side Story*: 'We want Bhagwan in America, we want Bhagwan in America, we want Bhagwan in America, we want Bhagwan in Americaaaaaaaaa.' Ik krijg het niet meer uit mijn hoofd, al klinkt het niet echt mooi want de meesten zingen in de laatste zin vals.

Later op de dag verzamelen we in een grote hal waar een feest is en Ramses Shaffy optreedt. Hij is ook sannyasin en iedereen is trots op hem. Het is heel gezellig maar ik dans niet. Er wordt een speech gehouden over Bhagwan, die vast heel blij is met onze demonstratie.

We leren een gebed dat de Gachchhami's heet. Het is een boeddhistisch gebed dat in heel India wordt gezongen en het gaat over Boeddha. We zingen: 'Boeddham Sharanam Gachchhami, Sangham Sharanam Gachchhami, Dhammam Sharanam Gachchhami.' Het betekent zoiets als: 'Ik ga naar de voeten van de meester, ik ga naar de voeten van de commune van de meester, ik ga naar de voeten van de waarheid van de meester.' Terwijl je het zingt zit je op je knieën, hou je je handen samengevouwen voor je en maak je langzaam drie keer een buiging. Het klinkt mooi als we het allemaal tegelijk doen, maar weer hoor je duidelijk dat niet iedereen zuiver kan zingen.

We zijn natuurlijk niet boeddhistisch, maar we vormen met zijn allen wel een *boeddhaveld*. Bhagwan zegt dat we allemaal kleine Boeddha's zijn die een spiritueel energieveld met elkaar delen.

Als Rupi weer een meditatieweek wil gaan doen, moet ik ergens logeren. Ze regelt een logeerpartij bij de familie van mijn klasgenoot Roelof. Zijn ouders zijn heel netjes en bidden aan tafel. De kinderen worden behandeld als kinderen en doen niet mee aan de gesprekken van de volwassenen. Ze hebben een afwasmachine en een heel aardige bakker die op zaterdag verse broodjes voor de deur zet. Ik vind het eten erg lekker, ik krijg zoet op m'n brood en 's avonds vlees. Maar voor Roelof en mij is het een beetje vreemd. In de klas gaan we niet veel met elkaar om, bij hem thuis ineens wel.

Mijn moeder heeft gebeld en ik krijg ook een brief van haar uit Soest. 'Hallo mijn lieve grote en kleine schat,' schrijft ze, 'vanavond mogen we met niemand praten en heb ik tijd je even te schrijven. We staan op om 06.15 uur en doen dan met zestig mensen een soort gymnastiek met blote voeten op bedauwd gras. Dan ontbijten en daarna spelen zoals we onszelf herinneren, zoveel mogelijk terug naar de geboorte en daarvoor. Heb me dingen herinnerd die ik me nooit eerder herinnerde. Ik zal je wat oefeningen geven die jij ook kunt doen. Maar het is handiger om dat te vertellen. Ik geniet zo, Santosh is, op Bhagwan na, de mooiste mens die ik ooit gezien heb. Elke dinsdagavond kun je hem spreken en vragen stellen. Ik ben blij dat je het daar goed hebt, het voelt fijn en rustig dat je mij niet mist en dat je je lekker voelt. Dag schat, tot snel, ik voel me mijn eigen kind en mijn eigen moeder, ik omhels je, xx Rupi.'

Als ik de brief lees, denk ik dat ik misschien iets beter voor mijn moeder moet zorgen.

Het lijkt wel alsof er tegenwoordig overal sannyasins zijn. Onze club wordt almaar groter. Er zijn nu nog meer beroemde mensen bij ons gaan horen, zoals Albert Mol. Soms zijn we op de televisie en vaak staan we in de krant.

In Shanti Niket kun je nu iedere week video's bekijken met oude lezingen van Bhagwan. We gaan er vaak heen, maar in plaats van naar de video te kijken hang ik rond bij de bar waar je koffie en thee kunt drinken. Een ma vraagt of ik alvast thee wil maken voor iedereen die de video aan het bekijken is. Er komt nog een swami die te laat is. Hij kijkt naar me terwijl ik met de thee bezig ben. Voordat de video is afgelopen, zegt hij: 'Je doet alles heel bewust.' Ik heb geen idee wat hij daarmee bedoelt.

Onze demonstraties hebben effect: Bhagwan mag voorlopig in Amerika blijven. Veel sannyasins praten erover dat ze veel van India hielden omdat daar de energie zo spiritueel is en ze vragen zich af hoe dat in Amerika zal zijn. Ze vertellen ook dat Bhagwan misschien altijd al een beetje over Amerika droomde omdat hij is opgegroeid in een arm land. Verwacht wordt dat Bhagwan door zijn verblijf in Amerika veel meer bekendheid en aanhang zal krijgen. In Shanti Niket zijn video's vertoond van de verhuizing. Er is op te zien hoe hard mensen hebben gewerkt en hoeveel graafmachines, bulldozers, vrachtwagens en ander gereedschap er nodig waren voor de verbouwingen en hoeveel lol sannyasins hadden tijdens het werk. Dat valt me op: dat we zoveel lachen. In de buitenwereld is alles heel serieus maar sannyasins kunnen overal de humor van inzien. Als ik op de video zie hoeveel ze hebben bereikt, ben ik erg trots. Ook een beetje op mezelf, want ik heb tijdens die demonstratie in Brussel keihard lopen zingen en allerlei vreemde mensen op straat aangekeken.

Op een dag is er in een hotel een grote bijeenkomst waar ons wordt verteld dat het goed gaat met Bhagwan. Maar ook horen we dat hij een boodschap voor ons heeft: er komt een ziekte aan, waar de wereldbevolking nog niet van heeft gehoord en waar tweederde van de wereld aan dood zal gaan. Deze ziekte heet aids en het is onduidelijk waar je het precies van kunt krijgen, maar het heeft te maken met seks. Daarom wil Bhagwan dat wij allemaal condooms en handschoenen gebruiken. Maar de ziekte zit misschien ook wel in zweet en speeksel, dat is nog niet bekend.

We moeten sowieso oppassen, zegt hij, omdat de wereld binnen vijftien jaar kapot zal gaan omdat er atoomoorlogen en natuurrampen zullen komen. In feite beginnen die vijftien rampjaren al na oud en nieuw, dus vanaf 1984. Alleen de mensen die kunnen mediteren en die veilig in Amerika of in een andere Bhagwan-commune gaan wonen, zullen het overleven.

Ik vind het een zootje in de wereld en ik zou alles wel willen veranderen als ik kon. Er worden zeehonden doodgeknuppeld, er is oorlog, er is bio-industrie en aardige mensen zoals Nelson Mandela zitten in de gevangenis. Veel rijke mensen dragen bont en er is veel, heel veel armoede. En nou komen er ook nog kernoorlogen en natuurrampen aan. Toch zijn we allemaal blij, omdat wij dit allemaal al weten en ook omdat je van Bhagwan alles moet vieren. De bijeenkomst eindigt met een groot feest.

Bij alles wat Bhagwan doet, krijgt hij hulp van zijn nieuwe secretaresse Sheela. Sheela heeft ervoor gezorgd dat de nieuwe commune van Bhagwan zo groot is dat alle sannyasins ter wereld er kunnen wonen, want het gebied heeft de oppervlakte van de provincie Utrecht en lijkt een beetje op een Amerikaanse ranch. We kunnen de verhalen over Rajneeshpuram, want zo heet de nieuwe commune, ook lezen in onze speciale sannyasin-krant, de *Rajneesh Times*. Veel mensen zijn van plan ernaartoe te gaan, voor langere of kortere tijd, en zijn al aan het sparen voor hun reis. Dat is best lastig, want de dollar staat heel hoog, zegt mijn moeder. Een dollar kost tweeënhalve gulden.

Als ik met mijn moeder en andere sannyasins ben, vind ik het een fijn gevoel dat we allemaal bij elkaar horen. Maar liever hoor ik bij de gewone wereld. Bij mijn vader, zijn vrouw en mijn pasgeboren halfbroertje kan niemand aan me zien dat ik eigenlijk sannyasin ben. Ik heb dan geen rode kleren aan. Als ik dan weer thuiskom, vind ik mijn moeder, de Bhagwan-tapes, de kundalini en alle Bhagwan-foto's eigenlijk maar vreemd.

Traveling home

1983 Rajneeshpuram, De Ranch

Het eerste grote feest, de *First Annual World Celebration*, op de Ranch heeft al één keer plaatsgevonden, maar toen was het festival nog zo nieuw dat weinig mensen ernaartoe gingen. De mensen die er wonen zijn er het hele jaar door, maar in de zomer organiseren ze een festival voor sannyasins van over de hele wereld.

Voor alle bezoekers bouwen ze tentenkampen, want er komen meer dan tienduizend sannyasins en die passen niet in de trailers, gebouwen en A-frames (een soort driehoekige huisjes) die ze al hebben gebouwd. In allerlei folders en in de *Rajneesh Times* worden sannyasins opgeroepen omdat het de wens van Bhagwan is dat iedereen er tegelijkertijd is.

Maar de reis naar Amerika is duur, en het verblijf is ook niet goedkoop. Mijn moeder klaagt over de prijzen. In een folder staat dat je mag meehelpen met al het werk, maar dat je daar wel veertig dollar per dag voor moet betalen. Toch is het een unieke plek om naartoe te gaan. Het is ongelooflijk hoe de sannyasins een verlaten en leeg gebied hebben omgetoverd tot een paradijs. Er zijn dammen gebouwd en meren aangelegd, er zijn gebouwen uit de grond gestampt, wegen gemaakt, kortom, het is een stad geworden.

Mijn moeder besluit om samen met mij acht dagen naar Bhagwan op de Ranch te gaan. Het is een behoorlijk lange reis; eerst nemen we het vliegtuig naar Londen, waar we een halve dag moeten wachten, en daarna vliegen we door naar Seattle.

In Seattle lijkt het erop dat de Amerikanen niet zo blij zijn dat we komen. We moeten in eindeloze zigzaggende rijen staan en wel vierenhalf uur wachten. Als we eindelijk bij de douane zijn, kijken de douaniers achter de balie streng naar ons, maar ze geven na het stellen van wat vragen toch een stempel in ons paspoort.

Op het vliegveld in Portland waar we op een bus moeten wachten, staan in de hal een paar sannyasins die reclame maken voor Air Rajneesh. Voor honderdvijftig dollar ben je binnen een uur met het vliegtuig op de Ranch, en je hoeft bovendien niet lang te wachten voordat je naar je tent kunt gaan. Mijn moeder is moe en ik ben ook afgemat maar vooral het vooruitzicht echte sannyasin-stewardessen te zien, doet mijn moeder besluiten op het aanbod in te gaan.

Even later lopen we met onze koffers naar het kleine propellervliegtuig. Het is wit met blauw en op de zijkant staat heel groot AIR RAJNEESH. Op de staart prijkt het symbool van de twee vliegende vogeltjes, Bhagwans teken. Er kunnen zeventien mensen in het vliegtuig en er is geen drukcabine, zeggen ze, maar we krijgen wel wat te eten en te drinken. De sannyasin-stewardessen hebben rode pakjes aan en een mala om. Het ziet er gek maar ook chic uit en ik ben heel trots dat alles zo 'echt' is.

Iedereen neemt plaats en is klaar voor vertrek, maar dan blijkt de linkermotor niet te starten. Na een paar keer gesputter doet de motor het nog steeds niet.

'What a joke!' roept een stewardess hard lachend. Na anderhalf uur proberen en na overleg met de piloot komt ze met een oplossing. 'We gaan samen de Gachchhami's doen.'

De meeste mensen vinden dit grappig maar gaan wel met hun handen gevouwen zitten.

'Het zal mij benieuwen,' zegt mijn moeder tegen mij, met een knipoog.

'Concentreer je op de linkermotor en vraag Bhagwan of hij die weer wil laten werken,' zegt de stewardess.

Zachtjes zet iedereen de Gachchhami's in: 'Bhuddam Sharanam Gachchhami...' Onze stemmen zijn nauwelijks hoorbaar door het geluid van de rechtermotor. In de cockpit zie ik de piloot het gebed ook doen. Als we klaar zijn probeert hij de linkermotor, die meteen aanslaat. Even later vliegen we met twee werkende motoren over de bergen. 'Misschien was die bus toch een beter idee,' zucht mijn moeder.

'Wat is een drukcabine eigenlijk?' vraag ik haar. Maar ze hoeft al niets meer te zeggen, want dan voel ik een enorme druk op mijn maag en oren. Onze kartonnen doosjes met muffins en vers sinaasappelsap uit Californië, met op de voorkant een foto van een lachende Bhagwan, blijven onaangeroerd.

Als we bij de Ranch zijn aangekomen, staan een heleboel mensen bij het registratiegebouw te wachten. Sannyasins bekijken alle tassen die we in een rij op de grond moeten zetten. Als we eindelijk aan de beurt zijn zegt een vrouw: 'Welcome lovers, hoe heten jullie?' Ze schrijft mijn naam op een geel polsbandje van plastic. 'Ma Prem Chandra.' Dan vult ze wat nummers in. 'Je nummer is B1796 en je slaapt in K1E5B.' De vrouw doet mij het polsbandje om. 'Het kan niet meer af,' zegt ze. 'Nu kunnen jullie doorlopen naar Rajneesh Transport.'

Met een echte gele Amerikaanse schoolbus, volgestouwd met vermoeide, buitenlandse sannyasins, vertrekken we richting Kabir, ons tentenkamp. Er kunnen vier mensen in een tent.

Kabir is gelukkig dicht bij het vliegveld. Er liggen al matrassen in onze tent waar we onze lakens op leggen. Op het kussen ligt een welkomstpakketje met een kaart van het gebied, een folder van de ijssalon en van de Shopping Mall en een fotootje van Bhagwan met daaronder de tekst: 'Welcome to this very place, the Lotus Paradise.'

Als we de volgende dag door het stoffige Rajneeshpuram lopen, valt pas op hoe enorm groot het is. Vanuit Kabir kom je langs RIMU – Rajneesh International Meditation University – een postkantoor, een winkelgalerij met daarin een chic restaurant, een pizzeria en de ijssalon, boekwinkels en een fietsenwinkel. Verderop is er een gigantische kantine, Zarathustra genaamd, Pythagoras (het ziekenhuis), verschillende bars, een gokhal ('Het leven is een gok,' zegt Bhagwan) en een hotel voor rijke sannyasins. Om van de ene naar de andere plek te komen kun je de bus nemen, die de hele dag gratis rondrijdt. Zo kun je naar de dam en de twee meren – het Patanjali-meer voor bewoners en het Krishnamurti-meer voor gasten – naar andere filialen van Zarathustra en naar alle tentenkampen of de kassen en de Dairy Farm, de boerderij.

Het is te veel om alles in één keer te zien maar al snel weten we hoe we van de tent naar Zarathustra moeten lopen.

Onderweg kijkt mijn moeder naar kleren in de Shopping Mall. 'Honderd dollar voor dit truitje?' zegt mijn moeder verontwaardigd. 'Dat komt neer op ruim tweehonderdvijftig gulden!'

Ik kijk naar de accessoires. Er liggen buttons met Bhagwan erop, horloges, hangertjes, armbanden met het vogeltjeslogo, petjes, sjaals, er zijn T-shirts waar heel groot WE LOVE YOU BHAGWAN op staat en er zijn diamanten te koop die je in je mala kunt laten zetten. Mijn moeder en ik zijn erg onder de indruk.

Overal lopen mensen, van alle leeftijden, soorten, maten en uit alle landen. Het is bijna niet te bevatten hoeveel het er zijn, en natuurlijk zijn ze allemaal in het rood, oranje of paars. Ik verbaas me erover dat er zo veel kleren in die kleuren worden gemaakt! Om ons heen horen we verschillende talen en opvallend vaak Japans. De Japanners zijn meteen ook het vreemdst. Ze lachen en huilen het hardst van iedereen, of zijn juist muisstil. Rupi zegt dat dit komt omdat ze in hun land weinig emoties laten zien.

Bhagwans huis, Lao Tzu genaamd, ligt een beetje uit de route. Het is niet de bedoeling dat je er rondneust want het wordt door veel *guards* bewaakt. We gaan toch kijken en je mag op het grasveld tegenover zijn huis zitten. We zien de tuin die mooi is aangelegd, waar pauwen en witte en zwarte zwanen lopen. Er is een vijver met goudvissen, afgezet met bamboe. Het huis, dat op een grote villa lijkt, staat verscholen achter bomen. Rupi wil even rustig zitten om Bhagwan te kunnen voelen.

Later komen we nog langs het huis van Sheela, Jesus Grove, dat ook een belangrijk kantoor is. Het is er druk en je mag er niet in.

Het eten is hetzelfde als wanneer er een feest wordt gevierd, of zoals in Soest, alleen dan voor veel meer mensen. Zarathustra is een filiaal van Magdalena, dat de grootste keuken is. Je kunt er binnen zitten maar ook buiten, aan lange houten tafels. In de andere filialen is er alleen een dak en zit je gewoon buiten maar wel beschut. Het eten bestaat uit grote schalen rijst, groente, salades en sauzen, fruit en toetjes. De toetjes zijn altijd snel op. In bijna alle sauzen zit knoflook en iedereen ruikt daar ook naar. Opvallend is dat er veel 'sprouts' zijn, oftewel gekiemde zaden, die er raar uitzien en die mensen in hun sla stoppen.

Sommige mensen gaan eten in het chique restaurant, waar je bediend wordt door sannyasins in uniform. Maar het is belachelijk duur volgens mijn moeder, dus we gaan er niet naartoe. Bij de ijssalon is het steevast druk en de ijsjes hebben andere namen dan thuis. Iedereen eet chocolate chip cookies, een typisch Amerikaans koekje. Dat is weer eens wat anders dan mango en papaja in Poona.

Rondom al deze plekken zitten, staan en lopen zo veel mensen dat je nooit iemand herkent. Iedereen lijkt op elkaar in deze stad. Het verschil met een gewone stad is dat iedereen van Bhagwan houdt en dat er geen criminaliteit is. Je moet wel oppassen dat je je tas niet achterlaat, net als overal, maar er zijn geen overvallers of moordenaars.

Na het eten lijkt het wel koopavond en daarom gaan we nog even naar de boekwinkel. Je kunt er niets anders kopen dan boeken, kaarten, muziek, video's en tapes van Bhagwan. Kranten zijn er wel, maar dan alleen de *Rajneesh Times* uit de verschillende landen. Bij de kassa staat weer een enorme rij, waaruit we opmaken dat mensen toch nog niet alle boeken thuis hebben staan.

We kopen een paar kaarten, zodat ik er een naar mijn

vader kan sturen. Ik vind het gek om hem een kaart te sturen met Bhagwan erop.

Naast de boekhandel staat een van de Rolls Royces van Bhagwan op een rood tapijt. Je kunt hem winnen als je een lot koopt voor de grote loterij die aan het einde van het festival wordt gehouden.

Bhagwan hield in India al van mooie auto's, maar vanwege zijn zere rug heeft hij een goede én mooie auto nodig die hem voldoende steun geeft. Rolls Royces zijn heel dure auto's, vertelt mijn moeder, en ze zegt erbij dat het verhaal gaat dat rijke sannyasins die veel van hem houden hem steeds weer nieuwe Rolls Royces cadeau doen. Bhagwan heeft er al grappen over gemaakt; hij wil er één voor iedere dag van het jaar!

Het programma op de Ranch is redelijk vol. Tijdens het festival is er elke ochtend *satsang*. Mijn moeder legt uit dat Bhagwan dan een paar uur in Mandir zit, de grote meditatiehal, en dat wij allemaal zingen en muziek maken, of juist stil zijn. Voordat de satsang begint moet je al hebben ontbeten. Daarna begint de lunch alweer, en dan moet je opschieten om op tijd voor Drive-by te zijn: in een van zijn Rolls Royces rijdt Bhagwan over de weg waarlangs iedereen staat om hem te begroeten. Als alle sannyasins die er nu zijn naast elkaar in een rij gaan staan, is bijna heel Rajneeshpuram vol!

's Middags heb je meestal niks te doen en kun je rondlopen. Veel mensen gaan naar het meer om te zwemmen, want het is hier heel erg warm, of ze gaan ergens op het gras liggen en praten. Er zijn genoeg koffiebars en plekken waar je naartoe kunt gaan en je kunt ook gaan wandelen in de bergen of een jeeptour doen, want de omgeving is prachtig. De Ranch wordt omgeven door bergen en vanuit elke plek op de Ranch kun je ze zien. Ik begrijp waarom Bhagwan hiernaartoe wilde, al is het even stoffig en heet als in India.

Veel sannyasins houden zich ook met andere dingen bezig. Als je 's middags of 's avonds door het tentenkamp loopt, hoor je geregeld geluiden van mensen die seks met elkaar hebben. Bhagwan heeft het vaak over seks gehad. Het mag en het is gezond en zo, maar zo veel als hier... Ik krijg er buikpijn van. Niemand schaamt zich ervoor en het lijkt wel alsof hard schreeuwen iets is wat Bhagwan ook graag wil: iedereen doet het. Het gebeurt zelfs in onze tent, waar we bij zijn.

Tijdens het lopen komt er telkens door asfalt aan elkaar geplakt grind in mijn zomerschoenen. Ik moet oppassen dat ik niet vast kom te zitten want het asfalt is op veel plekken gesmolten door de brandende zon. Mijn moeder heb ik vandaag nog niet gezien. Ze zou vanochtend met zonsopgang gaan mediteren bij een berg maar daar zal ze nu wel mee klaar zijn.

Het is 38 graden en iedereen lijkt uitgeput door de hitte. Toch gaan veel sannyasins alvast aan de kant van de weg voor Drive-by. Het is kwart voor twee, nog een kwartier en dan begint Bhagwan aan zijn autorit. Ik moet in dat kwartier nog een plekje zien te vinden in de rij, maar vlak bij Zarathustra waar ik vandaan kom, is het te druk. Dat betekent een heel eind lopen, weet ik, omdat ik hier gisteren nog met mijn moeder was en vlak voor Drive-by rijden er geen bussen.

Pas een kilometer verderop is het iets rustiger al staat er een bandje te spelen. '*Yes, Bhagwan, yes, we dance at your feet, yes, Bhagwan, yes'*, klinkt het. Als ik voorbijkom, word ik uitgenodigd om mee te dansen en te zingen maar ik loop liever door en nestel me in de berm tussen een man die met zijn ogen dicht staat en een knuffelend stelletje.

De rij sannyasins is links en rechts van mij zo lang dat ik tot aan de horizon niets anders zie dan pratende, zingende en elkaar omarmende rode mensen. De meesten hebben een roos vast die ze uitgereikt hebben gekregen om die als cadeautje op de motorkap van Bhagwans auto te leggen. Ik niet, ik heb een tekening voor Bhagwan gemaakt die ik ga geven.

Na een halfuur wachten lijkt er iets te gebeuren. Hier en daar wordt er gejoeld en inderdaad verschijnt heel in de verte de neus van een glimmende Rolls Royce van Bhagwan. Nu is het nog een kwestie van een minuut of tien voor hij bij ons is.

Langzaam wordt het stiller en iedereen staat rechtop met de handen gevouwen. Dan komen de guards voorbij, de bewakers die voor de auto uit lopen om Bhagwan te beschermen. Ze bekijken iedereen vanuit hun ooghoeken en mij ook omdat ik in mijn tas aan het rommelen ben, want daar zit de tekening in. Nog een paar meter en dan is Bhagwan bij mij. Als je een blik met hem wilt wisselen moet je hem aankijken vóórdat de auto langs gaat, want anders kijkt hij de mensen al aan die na je komen. De eerste keer durfde ik hem niet aan te kijken, omdat ik bang was dat hij me zou herkennen uit India en iets zou zeggen. Deze keer ga ik hem aankijken, besluit ik, en ik zet een serieus gezicht op. Dan ziet hij mij. Zijn ogen zijn een halve seconde op mij gericht en ik voel me raar, alsof de tijd stilstaat, alsof hij weet wie ik ben, terwijl hij dat eigenlijk helemaal niet kan weten.

Als de auto een moment later voorbijkomt, leg ik de tekening op de motorkap. De tekening ligt op honderden rozen en ik ben blij dat hij blijft liggen ondanks de wind. Maar ineens is er paniek. Een guard snelt van achter de auto naar voren, plukt de tekening weg en draait 'm om. Maar ik kan niet zien wat hij ermee doet want iemand trekt me ineens hard aan mijn T-shirt naar achteren. Ik val half de berm in en schrik van de boze blik van de guard.

'Wat zat daarin?' roept de man hard terwijl iedereen naar me kijkt. Hij heeft mij bij mijn schouder vast.

'Niets, het is een tekening,' hakkel ik in het Engels.

'Nooit meer doen! Dat is gevaarlijk,' zegt de man en hij verdwijnt.

Ik veeg het stof van mijn benen en hoop dat Bhagwan blij is met mijn tekening.

De mensen om me heen zijn in ieder geval blij met Drive-by. Sommige mensen huilen en van anderen schokt het lichaam, net of ze de kundalini doen. Veel mensen blijven nog lang met hun ogen dicht staan. Het voelt gek om alweer weg te willen lopen om iets leuks te gaan doen. Het lijkt de bedoeling dat je iets moet voelen, maar ik voel niets meer. Om niet heel erg op te vallen, blijf ik ook nog even staan.

Mijn moeder en ik doen onze mooiste kleren aan en gaan richting Mandir, waar het al afgeladen vol is van de mensen.

Vandaag is de grote dag van het festival. Master's Day Darshan. Op Master's Day gaan alle sannyasins bij elkaar zitten in Mandir, legt mijn moeder me uit, en Bhagwan komt er ook bij om zo een paar uur samen te vieren dat we hier kunnen zijn. Bhagwan zal niet spreken maar naar onze muziek en liedjes luisteren. Master's Day is hetzelfde als Guru Poornima Day, dat we in de zomer altijd al vieren.

Iedereen wil graag vooraan zitten om zo dicht mogelijk bij Bhagwan te zijn. Daarom dirigeert mijn moeder me naar de rij die het kortst lijkt. Overal om me heen, op de weg naar Mandir, in de bus, op de straten die naar Mandir leiden, lopen blije sannyasins die halsreikend uitzien naar dit feest.

Je moet als sannyasin overal voor in de rij staan omdat er zo veel mensen zijn, maar dit duurt wel heel erg lang. Uiteindelijk gaan de meeste mensen zelfs zitten en tegen elkaar aanhangen. Er wordt veel geknuffeld en gelachen. De sannyasins die er werken, delen papiertjes uit met het programma en de teksten van de liedjes die we straks moeten zingen.

Eindelijk mogen we doorlopen. Maar al snel rent iedereen, en ook wij rennen als gekken de hal in. Mijn moeder heeft me bij mijn hand en trekt me zover mogelijk mee naar voren. We vinden een plek die redelijk vooraan is, waar we in kleermakerszit gaan zitten, op de kussentjes die mijn moeder uit voorzorg heeft meegenomen.

Het duurt lang voordat er iets gebeurt. Eerst moet de hele hal nog vol, en we weten dat daar vijftienduizend mensen in passen. De mensen rondom ons praten niet, maar zitten met hun ogen gesloten te mediteren. Mijn moeder ook. Intussen probeer ik de teksten van de liedjes uit mijn hoofd te leren.

Dan komt een stoet auto's voorbij en klinkt er gejuich: Bhagwan is gearriveerd. Na een minuut of vijf komt hij het podium op lopen, de handen gevouwen, en met een brede glimlach op zijn gezicht. Wat spannend! Hij ziet eruit alsof hij veel zin heeft in deze viering, speciaal voor hem. Hij heeft een mooie jurk aan met schoudervulling en brede mouwen met elastiek aan de uiteindes. Hij draagt ook een horloge en een opvallende muts. Het is een heel ander gezicht dan in India, toen hij alleen sobere witte jurken droeg.

Als Bhagwan is gaan zitten, met zijn benen over elkaar geslagen, begint eindelijk de muziek. Helemaal achter in de zaal staat de Music Group op een podium. Een swami zingt de tekst van het eerste liedje voor: '*Bhagwan, I feel you take me to the depths of my being, Bhagwan, I feel you take me to the depths of my heart.*'

Ik weet niet precies wat deze woorden betekenen maar zing uit volle borst mee. Het liedje wordt een keer of tien herhaald. Iedereen wordt steeds vrolijker. Dat geldt helemaal bij het volgende liedje. Een blije ma zingt: '*We're flowers in your garden, opening, opening. We're your lovers and your friends, traveling home, home. In your love, your light, your joy delight, oh yes, oh yes Bhagwan.*' Het refrein, '*la die la die la*', is heel aanstekelijk en echt iederéén doet mee. Na nog een liedje wordt het saai. We moeten de Gachchhami's doen. Indrukwekkend is het wel, duizenden mensen die een gebed opdreunen. Daarna begint het hummen. Het duurt ruim tien minuten en mijn moeder humt het hardst. Bezorgd dat ze keelpijn krijgt, probeer ik haar aandacht te trekken maar ze gaat er helemaal in op. Ik probeer ook mee te doen maar ben bang dat mijn moeder mij hoort. In plaats van te hummen, bestudeer ik de sokken van mensen die om me heen zitten. Sommige mensen hebben sokken waarvan de grote teen apart is gestikt, zodat je ze aan kan in Indiase teenslippers die Bhagwan ook heeft.

Er zijn in de zaal een paar mensen die helemaal niet mediteren en meedoen. De cameraman bijvoorbeeld, die Bhagwan filmt, en de guards die rondom het podium staan. Ze letten goed op. Maar verder is het een en al saamhorigheid. Af en toe kijkt Bhagwan naar ons, dan doet hij even zijn ogen open.

Als het hummen voorbij is, begint een Indiase ma aan een heel lang lied. Ik wil eigenlijk dat het voorbij is maar ik kan niet weg.

Gelukkig is er eindelijk weer muziek. Nog vier liedjes volgen er en ik zing steeds mee: '*Disappearing into you*' en: '*Your lovers are here tonight, to celebrate in delight, oh, Bhagwan, we're so in love with you.*' Dit snap ik wel, we zijn verliefd op Bhagwan. Om me heen gaan mensen steeds uitbundiger dansen, met hun armen in de lucht, en de muziek wordt opzwepender. Het begint heel erg naar zweet te ruiken als we '*Haleluyah, I sit at the feet of my master*' zingen.

We eindigen met '*Yes, Bhagwan, yes, we dance at your feet, we celebrate everything*', en Bhagwan weet ook dat het bijna afgelopen is, want hij staat ineens op en steekt zijn armen in de lucht. Hij beweegt ze op en neer ten teken dat we uitzinnig moeten dansen. De mensen die nog zaten, staan nu ook op en klappen en zingen mee. Ik durf het niet, want mijn moeder staat vlakbij en onze kussentjes verdwijnen bijna onder de mensenmassa, maar ik probeer wel wat mee te bewegen en tegelijkertijd met mijn voeten de kussentjes te beschermen.

Dan gaat Bhagwan langzaam van het podium af. Het zingen en klappen wordt nog heftiger als hij achter de muur verdwenen is, totdat uiteindelijk de muziek stopt en de celebration is afgelopen.

Die avond is het feest en dat is te merken aan het eten:

iedereen krijgt een kartonnen doosje met extra lekkere dingen erin. Net als in het vliegtuig is er een fotootje van Bhagwan op de deksel geplakt. In het doosje zitten onder andere aardbeien en een toetje. Je mag jammer genoeg maar één doosje meenemen.

Doe de dynamic eens
1984 De Ranch

Terug in Nederland is het heel erg wennen om weer in de gewone wereld te zijn, want niemand begrijpt waar we zijn geweest. Op school, waar ik in de zesde klas begin, vertel ik er maar niet over, en ik probeer geen rode kleren te dragen.

Ik vertel ook niet dat we thuis ineens sprouts eten en dat we weleens langsgaan bij de eerste grote Nederlandse commune die nu is opgericht.

Die commune zit in Amsterdam in een oude, leegstaande gevangenis. Ik weet niet precies hoeveel mensen er wonen, maar het zijn er veel en ze wonen in de cellen van de mooiste vleugel van het gebouw.

We gaan er langs omdat mijn moeder er karateles geeft. Eigenlijk vertaalt mijn moeder boeken en tegenwoordig zelfs boeken van Bhagwan, maar ze doet ook aan karate en de sannyasins vinden het leuk om daar les in te krijgen.

De vleugel waarin de sannyasins wonen is opgeknapt en wit geschilderd. Het is best spannend om in een echte gevangenis rond te lopen al ziet deze er nu anders uit. Vier vleugels komen uit op een centrale binnenplaats en alles is van metaal. De andere vleugels, die niet zijn geschilderd, zijn donker en een beetje eng.

Er wonen ook kinderen, vooral jongens. Het zijn er niet zoveel, maar we spelen tijdens de karateles op de stapel matrassen die bestemd zijn voor de meditaties en voor het bekijken van de Bhagwan-video's. In de gevangenis hangen veel portretten van Bhagwan. Ze zijn groter dan ik ooit heb gezien.

Soms maakt mijn moeder een praatje met de mensen die de commune leiden. Er zijn een heleboel kleine communes in Nederland, waar net als in Shanti Niket ook mensen wonen. Het is de bedoeling dat die kleine communes uiteindelijk één grote commune gaan vormen in Amsterdam. Er is gezocht naar een nieuwe locatie omdat de gevangenis na een tijdje te klein zal worden. Ze vragen of Rupi met mij wil verhuizen naar een commune. Mijn moeder vindt dat geen goed idee, want ze wil liever op zichzelf wonen. Bovendien wil ze mij in de buurt hebben, en de meeste sannyasin-kinderen wonen samen in een aparte commune ergens in de bossen. Er zit een school bij, maar mijn moeder wil dat ik naar een normale school ga.

Alles wijst erop dat Bhagwans voorspellingen uit gaan komen. Daarom richt ik me liever op Doe Maar, Wham!, *Jan, Jans en de kinderen* en natuurlijk op school en mijn halfbroertje. Als je het journaal niet aanzet, lijkt het tenminste nog mee te vallen. 's Avonds in bed, als ik verdrietig ben om de wereld en alle vervuiling, houd ik soms Bhagwans doosje vast.

In de zesde klas gaat het best goed en ik krijg het advies om naar de havo of het vwo te gaan. We kijken naar welke middelbare school ik het beste zou kunnen. Veel kinderen gaan naar scholen in Leiden, maar omdat Rupi graag wil dat ik naar een montessorischool ga, kijken we in Amsterdam en Den Haag. We kiezen voor Den Haag.

Voordat de zomervakantie begint, vieren we op mijn lagere school een lustrum. In de hoofdrol van de musical hebben ze iemand nodig die kan zingen en die rood haar heeft. Mijn leraar denkt meteen aan mij. Ik vind het een hele eer en behoorlijk eng, maar ik overweeg mee te doen. Het betekent dat ik veel moet oefenen en zal moeten optreden op de laatste dag voor de vakantie. Maar het zal er niet van komen: mijn moeder wil in de zomer twee maanden naar de Ranch, en omdat de vakantie maar zes weken duurt en daarna mijn middelbare school begint, moeten we eerder weg. Als ik tenminste mee wil.

Twee maanden vakantie in Amerika klinkt op zich goed, zelfs als het twee maanden op de Ranch is. Maar dan kan ik mijn hoofdrol niet spelen. Ik zit er erg mee in mijn maag. Kunnen we niet later weg? Nee, want Rupi wil een cursus doen en ook het festival, de Third Annual World Celebration, niet missen. Bovendien doet het gerucht de ronde dat het niet zo goed gaat met Bhagwan en dat hij wel eens zou kunnen sterven. Daarom zet iedereen alles op alles om snel naar Oregon te kunnen. Uiteindelijk besluit ik om mee te gaan naar Amerika, ook al mis ik dan de jaarafsluiting en het lustrum.

Omdat ook ik bang ben dat Bhagwan misschien doodgaat, maak ik een tekening voor hem waarop hij in zijn stoel zit met honderden mensen om zich heen. Mijn moeder vindt de tekening mooi. We sturen hem alvast op naar de Ranch.

Hoe graag mensen dit jaar naar de Ranch willen omdat ze bang zijn Bhagwan anders nooit meer te zien, blijkt wel uit de verhalen die worden verteld. Iedereen heeft geld nodig en neemt de meest gekke baantjes om wat te verdienen. We horen dat sommige vrouwen zelfs als escort werken om hun ticket binnen een of twee weken bij elkaar te sparen. Mijn moeder zou zoiets nooit doen. Gelukkig kan ze een voorschot krijgen op het boek dat ze aan het vertalen is. De vaste vriend van mijn moeder, die af en toe bij ons woont, gaat niet mee want hij heeft niet genoeg geld.

Dit keer komen we op de Ranch in een A-frame terecht. Mijn moeder en ik zijn allebei ergens anders ingedeeld, omdat mijn moeder een cursus gaat volgen en ik ga werken. Mensen worden ingedeeld op basis van wat ze gaan doen op de Ranch.

Mijn A-frame staat langs de kant van een weggetje dat een berg op loopt. Het is een klein houten huisje met daarin een douche en een kamer met genoeg ruimte voor twee matrassen. Ik deel het huisje met een Amerikaans meisje van een jaar of veertien, Marsha. Ik ben blij dat ik niet in een tent slaap, want dan hoef ik tenminste niet naar al die seksgeluiden te luisteren.

Ik zal pas over twee weken aan het werk gaan, want eerst vieren we het festival. Het valt me op hoeveel ervaring mensen inmiddels hebben, ikzelf ook, met deze plek en hoe alles hier werkt. In principe is de Ranch hetzelfde gebleven, al zijn er meer gebouwen bij gekomen. Maar er is één grote verandering: er lopen veel meer guards rond, die ineens wapens dragen. De sfeer lijkt ook enigszins anders. We horen veel kritiek op de exorbitant hoge prijzen en er zijn meer controles als je aankomt.

Tijdens het festival gonst het van de geruchten over de voorspelling dat Bhagwan zou komen te overlijden tijdens de feestelijkheden. Veel sannyasins zijn bang dat dit daadwerkelijk gaat gebeuren. Ik weet niet of de geruchten kloppen en of ik er bang voor moet zijn. Ik hou van Bhagwan en wil niet dat hij doodgaat. Maar tegelijkertijd kan ik me niet voorstellen dat hij er niet meer zou zijn of dat hij niet sterk genoeg zou zijn om wat voor ziekte dan ook te overwinnen. Hij is verlicht, dan weet je toch alles, dus ook wanneer je ziek wordt en wat je eraan moet doen? Bhagwan heeft genoeg mensen om zich heen die hem verzorgen. Er is iemand die zijn eten kookt, iemand voor de was, een heel leger artsen: alles wat hij nodig heeft. Als hij ineens haaruitval heeft of iets anders engs, dan valt dat toch meteen op?

Iedereen vreest ook een inval. De Amerikanen hebben dan wel toegestaan dat Bhagwan zich voorlopig in Amerika vestigt, dat wil nog niet zeggen dat ze hem ook gastvrij behandelen. De mensen in Oregon zijn niet de meest vrijzinnige mensen, zeggen ze, die het zien zitten dat een goeroe met over de hele wereld honderdduizenden aanhangers, opeens vlak bij ze komt wonen. Maar als je op de Ranch bent, kom je nooit buiten het terrein. Je komt niet in aanraking met andere mensen dan sannyasins en daardoor merk je niet hoe de Amerikanen werkelijk zijn en denk je misschien wel het ergste.

Bhagwan heeft iets nieuws bedacht voor Drive-by: het uitdelen van cadeautjes. Hij stopt de auto en geeft door zijn raam een cadeau aan een willekeurige sannyasin. Meestal zijn het gekke spelletjes, rare objecten of een van zijn eigen jurken en zijn de ontvangers euforisch. Ik vind het lief, maar heel vervelend dat hij dit bedacht heeft. Stel dat hij bij mij stopt, moet ik dan ook gaan huilen en lachen tegelijk, en dolgelukkig zijn? Ik ben als de dood.

Ik vind Drive-by sowieso niet zo leuk meer en bovendien is het erg warm. Ik heb geen zin om anderhalf uur buiten te staan en daarom begeef ik me naar de kleine kantine die ik ontdekte bij de kantoren boven de Mall.

De meeste mensen die ik tegenkom zijn net klaar met lunchen en theedrinken en maken aanstalten om naar Drive-by te gaan.

'Ik vraag me af welke kleur zijn Rolls Royce vandaag heeft,' zegt een ma van mijn moeders leeftijd tegen een andere ma terwijl ze weglopen uit de kantine.

'Vast een kleur die we nog niet hebben gezien,' zegt de andere ma. 'Heb je trouwens gehoord dat Bhagwan gisteren zelf een ritje heeft gemaakt? Hij is helemaal naar het meer gereden en het schijnt dat hij echt van racen houdt, want hij reed wel zeventig mijl per uur. Hij is ook op een speedboot geweest...' en dan versta ik ze niet meer want ze zijn te ver weg.

Ik neem een kop thee en merk dat het hier erg stil is, bijna uitgestorven. Dat is een aangename afwisseling, want op de Ranch krioelt het van de mensen. Maar dan hoor ik ineens voetstappen op de trap en een guard steekt zijn gezicht om de hoek.

'Wat doe jij hier? Moet je niet naar Drive-by?'

'Ik heb pauze en ik drink thee.'

'Ik zou maar opschieten, het is al bijna tijd.' De guard loopt weer weg en ik denk: mooi niet, ik blijf lekker hier.

Maar tien minuten later, als ik in de *Rajneesh Times* aan het lezen ben en chocolate chip cookies eet, hoor ik weer dezelfde voetstappen op de trap.

'Zeg, ben je hier nou nog? Wegwezen!'

'Ik ga elke dag, ik heb Bhagwan al best vaak gezien en ik wil eigenlijk een keer niet gaan.'

'Je bent hier toch voor Bhagwan? En we willen hier niemand in het kantoor hebben rommelen.'

'Ik ga niet.'

'Je gaat wel en nu meteen.'

'Nee, je kunt me niet verplichten,' roep ik.

De man kijkt me strak aan, pakt zijn mitrailleur, richt deze op mij en zegt: 'Je gaat nu.'

Ik geloof mijn ogen niet – iemand richt zomaar een wapen op me. Hijgend hol ik de trap af, rennend als nooit tevoren, door de winkel, naar de uitgang van de Mall, over de houten trap, het pad op, naar Drive-by.

Die nacht lig ik op mijn matras in het donker te luisteren naar de geluiden van Marsha's walkman. Zachtjes hoor ik Sting zingen: 'Every move you make, every step you take, I'll be watching you.' Ze kan niet slapen als ze er niet elke dag naar luistert. Ze heeft het nummer meerdere keren achter elkaar op een bandje gezet.

Ik heb niemand over het geweer verteld, ook mijn moeder niet. Ik kan haast niet geloven dat het echt gebeurd is. Waarom zou ik niet in dat kantoor mogen blijven? Ik heb nog nooit mensen onder dwang van een wapen naar een kerk of een moskee zien gaan. En zeker geen kind. Waarom hier dan wel, als wij juist beter zijn dan die andere religies? Ik dacht dat de wapens bedoeld waren voor de buitenwereld, de mensen die ons iets aan willen doen. Ik moet het maar snel vergeten.

Ook dit jaar is er eerst een paar dagen satsang en daarna vieren we Master's Day in Mandir. Het is meer van hetzelfde, maar het is fijn om Bhagwan te zien en te merken hoe leuk hij het vindt dat we voor hem zingen en dansen. Deze keer zijn er meer camera's bij en Bhagwan heeft zich nog mooier uitgedost dan vorig jaar. Zijn jurk is versierd met mooie borduursels, hij ziet eruit als een koning. En Sheela lijkt een koningin. Ze is erg belangrijk, heeft alles onder controle en haar kleding ziet er mooi en duur uit.

De muziek op Master's Day is, afgezien van een aantal stukken die heel opzwepend zijn, iets rustiger dan vorig jaar. Eén muziekstuk vind ik heel erg mooi, omdat het op een xylofoon wordt gespeeld en het een verdrietige melodie heeft. Iedereen huilt. Ik ook. Het lijkt wel of we met de hele zaal hetzelfde voelen en dat vind ik fijn. De dag na de Master's Day Celebration is het bandje met de muziek uitverkocht.

Bhagwan haalt een goeie grap uit aan het eind van de celebration. We staan allemaal te klappen en te zingen op zijn aanwijzingen, met zijn handen in de lucht dirigeert hij ons op en neer te springen, tot hij zoals verwacht van het podium verdwijnt. We zijn allemaal in de veronderstelling dat hij is vertrokken maar even later komt hij toch weer het podium op, als een echte artiest. Het is zo grappig dat iedereen de slappe lach krijgt. Ik heb spierpijn in mijn kaken.

Nu het festival voorbij is en Bhagwan niet is doodgegaan, vertrekken de meeste mensen weer, met uitzondering van de mensen die hier wonen of een cursus volgen. Het duurt een paar dagen voordat iedereen weer weg is, want er waren dit jaar vijftienduizend sannyasins op bezoek. Maar algauw worden de rijen minder lang en is het op de meeste plekken wat beter uit te houden.

Mijn moeder is vandaag begonnen met haar cursus. Ik weet niet precies wat ze doet, iets met psychische dingen. Ik ben bij het Visitor's Centre gaan informeren waar ik kan gaan werken en moet me melden bij de Bike Shop, voorlopig voor halve dagen. De fietsenwinkel zit naast het postkantoortje en tegenover de Mall. Er werken drie swami's en ze verhuren en repareren mountainbikes die ik in Nederland nog nooit heb gezien.

De eerste dag is een beetje wennen, want ik heb geen idee wat ik moet doen en weet bovendien niets van fietsen. Thuis repareert mijn vader meestal mijn fiets. De swami's hebben pijn in hun nek en ik moet hun ruggen masseren. Verder willen ze dat ik schoonmaak en koffiezet of chocolate chips cookies haal in de kantine boven de Mall. Het is best gezellig. Een van de swami's is een oudere man. Hij hoort eigenlijk niet in een fietsenwinkel te werken omdat hij oud is en bovendien beeldhouwt. Hij laat me zijn beeldhouwwerken zien die buiten staan. Ze zijn heel mooi en daarom verkoopt hij ze voor veel geld in het hotel.

In het hotel ben ik nog niet geweest, daarom ga ik na mijn werk kijken hoe het er daar uitziet. De mensen die er werken dragen chique uniformen en bij de entree staan kunstwerken en dure banken met mooie kussens. Ik zie op het bord staan dat je een bed kunt kiezen in de vorm van een hart. Zo'n kamer kost wel honderden dollars per nacht. Er lopen maar een paar sannyasins rond die deze dure kamers kennelijk boeken.

De dagen in de fietsenwinkel gaan tergend langzaam voorbij. Ik kan de fietsen niet zelf in de steunen hangen voor reparatie, want ze zijn te zwaar, en iets anders dan opruimen is er niet te doen. De swami's zeggen dan ook vaak dat ik wel mag gaan. Mijn moeder is de hele dag met haar cursus bezig waardoor ik de tijd alleen moet doorbrengen. Er zijn meer kinderen, maar die komen allemaal uit andere landen. Vriendschap sluiten zal daarom hooguit uitdraaien op wat brieven schrijven aan elkaar. Dat heeft niet zo veel zin.

Soms ga ik naar de rivier om steentjes in het water te gooien. Of ik loop naar Zarathustra vlak bij de boekwinkel. Daar is het gezellig, want je kunt er thee en koekjes krijgen en er hangen weleens mensen rond van de muziekgroep. Ik durf niet heel dicht bij hen te gaan zitten of mee te doen, want ik wil niet hardop zingen en opvallen, maar ik neurie de liedjes mee van een afstandje.

Er zijn meer mensen die niet de hele dag werken. Als je ergens zit, groeten ze of komen ze een praatje maken. De ma's zijn vrij aardig en de swami's ook, maar die maken vaak complimenten en ik weet niet hoe ik daarop moet reageren. In Nederland doen mannen dat niet. Hier zeggen ze er meteen iets van als ze vinden dat je er mooi uitziet, of ze zeggen gekke dingen; dat je energie bijzonder is of dat je als een vrouw loopt. Dat doen de volwassenen ook tegen elkaar en soms lijkt het of iedereen verliefd is.

Ik ben nog nooit naar het meer geweest en als ik weer eens niets te doen heb, besluit ik mijn bikini op te halen en te gaan zwemmen. Het Krishnamurti-meer is een flink eind rijden met de bus, helemaal langs het vliegveld en de universiteit. Op weg ernaartoe legt een ma de principes uit van het anti-aidsbeleid. Ze zijn er heel streng in.

'Maak in het kleedhokje alsjeblieft je genitaliën schoon met de alcoholdoekjes. Dat is echt belangrijk omdat Bhagwan zegt dat het aidsvirus in alle lichaamsvochten kan zitten. Gooi de gebruikte doekjes daarna in het prullenbakje waarop staat: CONTAMINATED WASTES. En vergeet niet: als je menstrueert, mag je absolúút niet zwemmen.' De vrouw kijkt erbij alsof ze de regels voor de Cito-toets uitlegt.

In het kleedhokje doet iedereen keurig wat de ma heeft gezegd, maar als ik voor het zwemmen nog even naar het toilethokje ga, bekruipt me het gevoel dat de alcoholdoekjes nu niet veel zin meer hebben. Ik vraag me af wat andere mensen daarvan vinden.

Het Krishnamurti-meer is mooi aangelegd. Het is vrij groot, en er is een enorme houten steiger die ver het water in reikt. Verschillende mensen liggen te zonnen. Ik ken niemand en zoek een plaatsje voor mijn handdoek. Ik hou mijn mala om, want ik ben bang dat hij anders door de spleten van de steiger valt.

Ik lees wat in de *Rajneesh Times*, 'The World's Best Newspaper in the World's Best City' en tuur rond. Er wordt veel gekletst en gebabbeld. Verderop zit een man met een lange baard telkens mijn kant op te kijken. Dan lacht hij. Ik kan het niet maken niet terug te lachen want iedereen is hier altijd aardig voor elkaar. Maar dan komt hij op me aflopen, terwijl hij mij aankijkt. Ik veer op en duik zo snel mogelijk het water in. Met mala en al.

's Avonds kom ik toevallig mijn moeder tegen. Ze ziet eruit alsof ze keihard gewerkt heeft, of veel heeft gehuild. Ze wil weten hoe het met mij gaat, maar ik heb niet zoveel te vertellen.

Ze wil een plek afspreken waar we elkaar altijd kunnen vinden. Er zijn wel telefoons in onze A-frames, maar dan moet je weten wanneer de ander ook thuis is, dus dat lost niets op. We spreken af dat het pleintje bij de boekwinkel de beste en meest centrale plek is en dat we elkaar daar 's avonds ontmoeten.

Mijn moeder vertelt dat er wat raars is gebeurd. Een ma met wie ze de cursus doet, wilde een dag niet komen omdat ze buikpijn had. Ze was ongesteld, zegt mijn moeder. Maar toen ze de cursusleiders belde om te vertellen dat ze niet kwam, zeiden ze dat ze niet in haar A-frame mocht blijven en naar Pythagoras moest gaan. 'Maar ze was helemaal niet ziek, ze had gewoon buikpijn,' vertelt Rupi. 'Maar ze moest óf uit haar A-frame vertrekken en naar de cursus gaan, óf naar de ziekenboeg. Belachelijk! Je kunt toch wel eens een dagje thuisblijven.'

Ze had er wat vragen over gesteld, maar niemand had een bevredigend antwoord gegeven. Ik weet niet wat ik ervan moet denken. Misschien wilden ze gewoon goed voor de vrouw zorgen? Misschien moest de A-frame net als een hotelkamer schoongemaakt worden? Misschien wilden ze checken of de vrouw wel echt ziek was?

Ik vind mijn werk in de fietsenwinkel steeds minder leuk en daarom besluit ik in het Visitor's Centre te vragen of ik in Magdalena, de grote keuken, mag werken. Ze vinden het goed en ik mag zelfs werken in het hoofdgebouw, waar de centrale bakkerij zit. Ik moet om half acht beginnen en het duurt de hele dag, met een pauze na de lunch.

De volgende ochtend neem ik vroeg de bus, zodat ik eerst nog ergens rustig kan ontbijten. De bus is helemaal leeg als hij aankomt. De buschauffeur is een heel grappige man met kroeshaar. Hij zegt dat ik maar dichtbij moet gaan zitten zodat we kunnen praten. Hij vraagt waar ik vandaan kom en wat ik ga doen. Dan zegt hij dat hij ook nog moet ontbijten en dat we samen kunnen gaan. Hij heet Amal.

Ik vind het gezellig en samen halen we cornflakes en thee. Amal vertelt dat hij uit Zuid-Europa komt en dat hij vroeger voetballer was in het nationale elftal. Hij was heel goed en iedereen kende hem. Ik denk aan voetbal kijken met mijn vader en stel me voor dat we Amal misschien hebben zien rennen. We praten nog wat door, over mijn school en over wat ik later wil worden. Dan moet ik weg.

'We komen elkaar nog wel eens tegen. Is het niet hier, dan is het wel later. Ik voel een heel bijzondere band met je. Volgens mij kenden we elkaar al. Maar misschien moet je eerst wat ouder worden,' zegt hij.

Hoezo moet ik eerst ouder worden? En hoezo kenden we elkaar al? Ik heb hem nooit eerder gezien. Misschien bedoelt hij in een vorig leven. Mijn moeder heeft het ook weleens over reïncarnatie.

De eerste dag in Magdalena is spannend en ik moet veel dingen leren. Alles wordt me goed uitgelegd. De mensen zijn vrolijk, zingen tijdens het werk of maken grappen. Ik heb nog nooit zulke grote pannen gezien, ik zou er onmogelijk een kunnen optillen. Ik krijg een rood schort aan en moet mijn haar in een netje doen. De rondleiding in de keuken brengt ons ook bij de opslagplaats, waar ik een grote ton vol chocolate chips ontdek die in de koekjes moeten. Het zijn er miljoenen.

Het is erg lawaaiig in de keuken. Overal staan pannen te pruttelen, draaien deegmachines of worden groenten gesneden met snijmachines. Verder hoor je mixers en blenders tekeergaan. De bakkerij is om de hoek. Daar worden de taartjes gemaakt voor de sannyasin-verjaardagen. Er staan zeker vijftig taartjes klaar waar nog vanille- of chocoladecrème op moet. De taartjes zijn hartvormig en er staat HAPPY BIRTHDAY op. Binnenkort mag ik ook mijn taartje ophalen, want op 6 augustus ben ik zes jaar sannyasin. Volgens een nieuwe regel mag je je taartje ophalen in Jesus Grove, op het kantoor van Sheela. Sheela komt je dan feliciteren. Ik wil haar graag een keer in het echt ontmoeten.

De ma die alles uitlegt heet Bhakti en is leidster van de keuken. Ze geeft alle opdrachten en vertelt mij dat ik eerst in de bakkerij moet helpen. Daar ben ik blij om, want zo kan ik meerdere keren per dag de zakken van mijn schort vullen met chocolate chips. Aan het eind van de dag ben ik misselijk. Het is al laat en ik red het niet mijn moeder op de afgesproken plek te ontmoeten.

Bhakti heeft gezegd dat ik voortaan iets vroeger moet komen omdat we precies om half acht de *Reminders* doen. Ik weet niet wat dat is; als het maar geen gekke meditatie is.

De ochtend erna blijkt dat het om een soort gebed gaat. We moeten allemaal op de grond knielen voor een groot portret van Bhagwan. Bhakti zit vooraan en zegt dat we onze ogen moeten sluiten. Dan zegt ze: 'Onthoud dat je hier bent in een commune van Bhagwan en dat je hier bent om als mens te groeien. Onthoud dat deze commune een spirituele plek is en dat je werk een meditatie is. Onthoud dat de keuken een tempel is en dat je werkt met messen en grote machines en dat je voorzichtig moet zijn.'

Vervolgens doen we de Gachchhami's. Als we vijf minuten later beginnen met het werk, of *worship* zoals ze het noemen, is iedereen eerst nog rustig vanwege de Reminders, maar daarna is het weer gezellig en worden er grappen gemaakt.

Het werk in Magdalena is zwaar en ik heb snel door waarmee ik iedereen het beste kan helpen. Vaak zijn het kleine dingen zoals het afmeten van de juiste hoeveelheid meel voor het deeg. Ik voel me eindelijk nuttig al ben ik maar een klein bijtje in een grote bijenkorf. Maar ik denk dat Bhagwan dat niets uitmaakt, ook wat ik doe is belangrijk.

Marsha werkt op de Dairy Farm waar vijftig melkkoeien staan en kent wat andere tieners. Ze zijn iets ouder dan ik maar toch nodigt ze me uit om een film te komen kijken in een soort jeugdhonk. Volwassenen mogen er niet komen. Ik ken er niemand behalve Marsha en ben verlegen. Gelukkig wordt de film snel aangezet, op een groot scherm: *Flashdance*. Het is een vrolijke film over gewone mensen die me weer terugbrengt in de buitenwereld. Ik was bijna vergeten dat die nog bestond. Wel opvallend is dat de mensen in de film zo veel moeite hebben met het uiten van hun emoties. Daar heb je hier geen last van. In de buitenwereld doen mensen daar een stuk moeilijker over. Maar ze laten je daar ook meer met rust: je hoeft niet de hele tijd te zeggen wat je voelt. Op het werk in Magdalena en in de fietsenwinkel vragen mensen voortdurend wat er is als je even niet vrolijk kijkt. Ik heb niet altijd zin om te zeggen wat er is, maar dat vinden ze niet goed, dan ben je gesloten.

Marsha en ik zijn vriendinnen geworden en al dansend en zingend keren we terug naar onze A-frame. Als we aankomen zien we nog net een groep herten wegschieten, die naast de A-frame stonden te grazen.

Ik wil meer herten en andere dieren zien en besluit de bergen in te gaan als het op een middag niet zo druk is in Magdalena. Een van de bergen is zo vaak belopen dat een pad is ontstaan waar het gras is verdwenen. Nu loopt er niemand. Boven aangekomen heb ik een weids uitzicht. Ik vind het ongelofelijk hoe groot deze commune is, de enige plek ter wereld waar geen criminaliteit is, geen onverdraagzaamheid tussen culturen en geen diefstal of vandalisme. Het is een paradijs, vol bewuste en vrolijke mensen die alleen het beste willen voor de wereld en voor zichzelf, en die daardoor de voorspelde oorlogen, ziektes en natuurrampen zullen overleven. En ik sta hier dan maar mooi.

De weg terug is me te steil, je ziet als je naar beneden loopt niet eens de voet van de berg. Ik ga een stuk opzij en loop via de greppel tussen twee bergen naar beneden. Ondertussen hoor ik telkens een soort gesis, alsof er een plastic tasje in de wind ligt te ruisen.

Beneden aangekomen krijg ik ontzettend op mijn kop van een ma die toevallig langsrijdt in een bruine bestelauto. Ze heeft een uniform aan van de Rajneesh Peace Force, en draagt een walkietalkie, zoals alle guards. 'Ben je alleen gaan wandelen?' vraagt ze. 'Ben je helemaal gek geworden! Niemand weet dat je weg bent en er zitten overal ratelslangen die je kunnen bijten!'

Het is mijn sannyasinverjaardag, vandaag mag ik mijn taartje ophalen in Jesus Grove. Ik heb vanochtend zelf nog de taartjes helpen maken, maar toch heb ik er zin in want het is dé kans Sheela te ontmoeten, al heeft ze misschien niet zoveel tijd.

Als ik bij de receptie zeg dat ik vandaag jarig ben, wordt

er niet enthousiast gereageerd. Een vrouw stuurt me naar een bankje waar ik moet blijven wachten. Na een kwartier roept ze me terug en noteert het nummer van mijn polsbandje. Dan verdwijnt ze een gang in en komt even later terug met een taartje, dat ergens anders is gemaakt want het ziet er minder mooi uit en er staat geen HAPPY BIRTHDAY op.

'En Sheela dan?' vraag ik.

'Wat is er met Sheela?' vraagt de vrouw.

'Komt ze niet met mij het taartje opeten?'

'Dacht je dat ze daar tijd voor heeft? Ze is de secretaresse van Bhagwan!'

Teleurgesteld en boos ga ik weer naar buiten. Ik kan niet met mijn moeder afspreken want die is nu op haar cursus. Ik neem het taartje mee naar huis. Marsha is er ook en samen eten we het taartje op.

We hebben zin om wat te doen op deze vrije middag, maar we weten niet wat. Eigenlijk vervelen we ons. Als je werkt verzin je genoeg dingen om te doen, maar als je eenmaal vrij hebt ben je ze weer vergeten. Marsha is nog niet bij Jesus Grove geweest en we besluiten daar wat rond te hangen. Na een paar minuten stiekem naar binnen kijken waarbij we niets interessants zien, worden we weggestuurd door een guard. 'Ga eens ergens anders uitspacen.'

'Je mag hier ook niks,' zegt Marsha, half tegen de guard. En tegen mij: 'Ben je trouwens al eens bij Lost and Found geweest?' Ik schud mijn hoofd en ze neemt me mee naar een deur om de hoek van de fietsenwinkel. 'Als ze iets vragen, zeg je dat je een baseballpetje kwijt bent.'

Maar er is niemand te bekennen en snel sluipen we naar boven. Op de eerste verdieping is een kamer bezaaid met rode kleren, tassen, jassen, paraplu's, petjes en alles wat

73

mensen tijdens het festival zijn kwijtgeraakt. Er liggen vooral veel zonnebrillen. We pikken allebei een tas, petje en zonnebril en rennen weer naar buiten. Niemand die het heeft gemerkt.

Ik heb mijn moeder inmiddels een tijd niet gezien, het weer is al een paar dagen wat minder en het is een drukke dag in Magdalena. Bovendien heeft iemand mij betrapt op het pikken van chocolate chips; ik was ze vergeten en ze waren in de zak van mijn schort gesmolten. Maar het was niet erg, de swami begreep wel dat ik van chocola houd. Tot overmaat van ramp struikel ik over een drempel en val hard op mijn knieën. Meteen is Bhakti er om me overeind te helpen. 'Ik bel Pythagoras,' zegt ze. Maar ik vind het niet nodig hiervoor naar het ziekenhuis te gaan. 'Toch wel, dat is de procedure. Als je wat hebt, ga je naar Pythagoras.'

Even later word ik in een auto getild en naar het ziekenhuis gebracht. Ik probeer uit te leggen dat ik op mijn knieën ben gevallen, maar toch stoppen ze me in een ziekenhuisbed.

Het duurt lang voordat mijn moeder er is. Intussen heeft er niemand naar mijn knieën gekeken.

'Wat is er aan de hand?' komt mijn moeder binnengestormd.

'Niet zoveel, ik ben op mijn knieën gevallen. Ineens brachten ze me hierheen. Ik heb voor het eerst weer in een gewone auto gezeten.'

Mijn moeder kijkt naar mijn benen waar niets aan te zien is.

'Ik ben me rot geschrokken. Ik kreeg een briefje waarop stond: JE DOCHTER LIGT IN HET ZIEKENHUIS. Ze schreven niet wat er was. En hier wilden ze niets zeggen totdat ik had betaald. Het kost vijfentwintig dollar, omdat onze verzekering hier niet geldt.'

Even later komt een swami die eruitziet als een arts. Hij vraagt eerst of ik niet zo lekker in mijn vel zit vandaag. Het zal wel, het kan me niet schelen, ik vind alleen dat ze mijn moeder hiervoor niet zo veel geld moeten aftroggelen, alles is al duur genoeg.

De arts praat met mij en mijn moeder over mijn knieën. Er is niet zoveel aan de hand, maar ik moet wel een paar ultrasoundbehandelingen krijgen. Dat kan de komende dagen hier in Pythagoras.

Daarna gaan mijn moeder en ik een ijsje eten. Het is fijn om haar weer te zien en vooral om te horen dat ze bepaalde dingen hier, zoals de wapens en de strikte regels, ook niet leuk vindt. Ik vertel over het verjaardagstaartje. Zij had er geen kunnen halen op haar verjaardag omdat ze toen al op de cursus zat. Ze heeft er niet veel aan gemist, vertel ik.

Bhakti heeft me gevraagd of ik het goed vind om overgeplaatst te worden naar Zarathustra. Daar zal ik gaan werken bij de *Kid's Line*, dat wil zeggen, eten maken speciaal voor de kinderen. Ik wist niet dat er eten speciaal voor kinderen is, laat staan dat er veel kinderen zijn, maar ik vind het goed. Magdalena is een eind reizen met de bus, en Zarathustra zit op een gezellige plek, vlak bij de Mall.

Het verschil met het werk in Magdalena is dat het overzichtelijker is want we zijn met een select groepje verantwoordelijk voor een klein deel van de hele kantine. We zitten in een aparte hal. De maaltijden voor de kinderen zijn hetzelfde als voor de volwassenen, alleen doen wij er minder knoflook en uien in. En sprouts vinden de meeste kinderen niet lekker, wat me niet verbaast. Het eten moet om twaalf uur klaarstaan.

Wat ik alleen vreemd vind, is dat het eten dat we bereiden om kwart voor twaalf wordt gecontroleerd door een paar sannyasins die niet in de keuken werken en dat wij dan allemaal de hal moeten verlaten. Na de controle mogen we het eten uitserveren op de grote tafels. Helaas is dat dan meestal al afgekoeld.

De belangrijke mensen hier op de Ranch haal je er zo uit. Ze hebben veel mensen om zich heen, dragen mooie kleren en tassen en rijden rond in bruine bestelauto's. Voor de meeste functies zijn geen uniformen, maar toch lijkt het of ze ergens nette kleding inslaan. Een van die belangrijke mensen is Tarik. Hij is therapeut en groepsleider.

Ik sta bij het riviertje achter Zarathustra steentjes in het water te gooien als ik Tarik met wat mensen zie praten. Hij vraagt mij erbij te komen en informeert wie ik ben. Daarna begint hij opmerkingen te maken tegen de andere mensen over mijn uiterlijk. Dat vind ik niet leuk en ik verwacht dat ook niet van een groepsleider. Als de andere mensen weggaan, stelt hij mij nog meer vragen: waar ik werk en wat ik precies doe. Vervolgens zegt hij dat ik snel een groep moet gaan doen bij hem, om mezelf beter te leren kennen. Ik vind het maar raar dat hij mij daarvoor vraagt, want ik doe helemaal nooit meditaties en groepen, en volgens mij hoeven kinderen die ook niet te doen.

Er is voor de volwassenen overigens weinig tijd om te mediteren, vind ik. Iedereen wil verlicht worden en streeft daarnaar, maar mensen zijn voornamelijk aan het werk. 's Ochtends doen ze de dynamic-meditatie, maar of dat genoeg is om verlicht te worden? Ik zie het meer als sport, maar van het vervelendste soort. Dan liever aerobics.

De dynamic-meditatie begint rond een uur of zes in de ochtend. De meditatie duurt een uur, waarvan je de eerste tien minuten door je neus moet uitademen. Als je op dit uur toevallig wakker bent, hoor je het gesnuif al van veraf. Dan volgen er tien minuten 'totale catharsis'. Het is de bedoeling dat je schreeuwt, huilt, danst, springt en schudt alsof je leven ervan afhangt. Het maakt zo'n lawaai dat iedereen die de dynamic niet doet, nu ook wakker is. Daarna moet je tien minuten springen met je armen in de lucht en 'hoe hoe hoe' roepen. Als de muziek plotseling ophoudt, moet je 'bevriezen' en een kwartier precies zo blijven staan. Het eindigt met een kwartier dansen. Als je geen zin hebt om over je gevoelens te praten, zeggen mensen: 'Doe de dynamic eens.' Maar ik houd niet van een opgelegde catharsis. Ik zou de dynamic best wel een keer willen doen, maar niet als iedereen er steeds over zeurt.

Ons verblijf op de Ranch loopt bijna ten einde. Ik kan nauwelijks geloven dat ik over twee weken op de middelbare school begin. Elke dag met de bus naar Den Haag om naar het lyceum te gaan. Ik heb me ingeschreven als Maroesja en niet als Chandra.

Mijn moeder is bijna klaar met haar cursus. Ze heeft niet veel van de Ranch gezien en heeft maar een paar keer kunnen zwemmen. Maar toch is ze gelukkig, geloof ik. Ze vertelt dat ze veel heeft geleerd.

Om ons afscheid te vieren, boeken we (bij hoge uitzondering want het is duur) een jeeptour door de bergen. We gaan met een groepje en zijn een uur of vier weg. We worden helemaal door elkaar gerammeld in de jeep want de chauffeur rijdt ontzettend hard over de steile paadjes.

Ik ben geschokt als we op het vliegveld aankomen en we weer in de gewone wereld zijn. Iedereen heeft haast en lijkt chagrijnig. Het is alsof mensen een donkere sluier over zich heen dragen, alsof niemand gelukkig is. Niemand lacht hardop. Mensen raken elkaar niet aan. Stiekem ben ik blij dat mijn moeder en ik een goede zomer hebben gehad. Deze mensen hebben geen Bhagwan om van te houden. Ik zie de douaniers tassen controleren en wantrouwend kijken. Ik zie hun geweren: ik weet nu hoe het is om ermee bedreigd te worden.

Spacing out en mindfucken

1984 Het Haags Montessori Lyceum

Het schooljaar begint en ik moet behoorlijk omschakelen. Ik hoef niet te werken of eten klaar te maken voor kleine kinderen, ik hoef niet elke dag rode kleren aan en mijn mala om, of aan Bhagwan te denken en hoe het met hem gaat. Er zijn geen feesten. Ik vind het een raar idee om zo ver weg te zijn van onze wereld. Ineens zit ik weer in de buitenwereld.

Bij onze post ligt een brief van de Ranch. Ik schrik omdat ik denk dat ze erachter zijn gekomen dat ik met Marsha spullen uit Lost and Found heb gejat. Maar de brief, door Sheela zelf geschreven, gaat over de tekening die ik voor de zomer naar Bhagwan stuurde. Sheela schrijft: 'Beloved Chandra, Love. We have received the beautiful drawing you sent to Bhagwan and send you His blessings. God has loved you so much that He has created this world for you to play with, to dance with. It's a celebration. His blessings, Ma Anand Sheela.' Ik vind het stoer dat ik een brief van haar heb gekregen, maar begrijp niet goed waarom ze God erbij haalt. Bhagwan is toch tegen God?

Ik zit in een leuke klas en iedereen kent me als Maroesja. Maar het duurt niet lang voordat klasgenoten weten hoe ik thuis ben, omdat ik een paar vriendinnen heb met wie ik veel praat. Ze hebben vragen, vooral over de Rolls Royces. Ik antwoord dat volgens Bhagwan 'religie niet gepaard hoeft te gaan met gematigdheid', een antwoord dat zelden nieuwe vragen oplevert. Mijn vriendinnen zijn lief. Ze vinden het zelfs wel interessant en vinden mijn moeder 'heel anders dan andere moeders', al duurt het lang voordat ik hen mee naar huis durf te nemen. Niettemin is het moeilijk te voorkomen dat ik de vreemde eend in de bijt ben.

Hoe langer we sannyasin zijn, hoe meer rode kleren ik heb en het valt leerlingen en leraren op dat ik meer rode kleren draag dan gangbaar is. Gelukkig oordelen sommige klasgenoten niet zo snel en valt het pesten mee. Ik vind hen minder volwassen dan mijn leeftijdsgenoten uit de sannyasin-wereld, dat wel. Soms vind ik ze ronduit kinderachtig. Ze doen dingen die wij 'spacing out' (afwezig zijn) en 'mindfucken' (te veel nadenken of analyseren) noemen, en ze praten niet openlijk over hun gevoelens. Moet ik dat slecht vinden? Moet ik ze leren meer open te zijn, of is dit juist hoe het hoort? Heeft het überhaupt zin om op school te zitten? Bhagwan zou zeggen dat kinderen niet veel kennis nodig hebben, dat je er niet veel in moet stoppen maar juist moet kijken wat er al in zit. Maar Bhagwan hult zich in stilzwijgen.

Mijn lesrooster is vol, ik heb het op school bijna drukker dan afgelopen zomer in de keuken op de Ranch. De dubbele uren op dinsdagen en donderdagen vallen me zwaar en ik kan me maar moeilijk concentreren. De hele klas heeft er last van; ze zeggen dat klas 1C een ramp is. Het zal mij benieuwen of we overgaan aan het eind van het jaar.

Er zit een jongen in de klas die Joris heet en verkering met me wil. Hij stuurt me een briefje via twee vriendinnen. Ik vind het raar en ouderwets om verkering te hebben, dat is iets van vroeger. In de commune en op de Ranch heeft niemand verkering. Verkering is verloven, verloven is trouwen en trouwen is onzin. Trouwen is een contract dat de liefde doodt, zegt mijn moeder. Maar verkering is wel leuk en misschien hoort het wel zo, dus neem ik verkering met Joris en schrijf 'ja' op een briefje terug. Maar het is na een paar weken alweer uit omdat we elkaar te weinig zien.

Er is iets heel bijzonders gebeurd: Bhagwan is weer begonnen met spreken. Ineens, zomaar, na drieënhalf jaar. Hij heeft 13 15 dagen zijn mond gehouden, meldt de *Rajneesh Times*. Mijn moeder heeft een abonnement en werkt soms voor de krant. De 'wolligste krant van Nederland' staat erboven en je kunt hem zelfs krijgen in winkels als de Bijenkorf en Albert Heijn, want er worden er ongeveer vijftienduizend van gedrukt. Het eerste wat Bhagwan zei, wordt snel door iedereen doorverteld: 'Onze religie is de enige religie. Onze religie is de enige religie in de geschiedenis van de mensheid. Alle andere religies zijn experimenten die hebben gefaald.'

Ik weet niet of zijn woorden buitengewoon zijn. Van wat hij eerder heeft gezegd, is weinig blijven hangen. Ik weet alleen dat hij het vaak over mannen heeft gehad omdat hij op geluidsbandjes vaak zinnen begint met 'man is...' en dan nog een heel verhaal. Hij slist altijd bij de s. In ieder geval is iedereen uitzinnig blij en ontroerd over het feit dat hij weer praat. Ik kan me niet voorstellen dat hij al die dagen echt niets heeft gezegd, maar mijn moeder denkt dat hij vast wel gewone gesprekken heeft gevoerd en nu pas weer echte, dat wil zeggen openbare, lezingen geeft.

Af en toe gaan we op zondag swingen in Zorba the Buddha, de disco die bij de commune in Amsterdam hoort. Bijna alle communes in grote steden hebben een Bhagwan-discotheek. Die van ons loopt goed. Er komen meestal mensen uit de buitenwereld, maar op zondag is het alleen voor sannyasins toegankelijk.

In Zorba, op een gezellig feest, hoort mijn moeder nog meer feiten over Bhagwan en wat hij precies wil, want Sheela is in Nederland op bezoek geweest en heeft een paar dingen doorgegeven. De commune was flink opgeruimd en schoongemaakt voor haar komst. Het is natuurlijk heel bijzonder dat Sheela er is en aandacht schenkt aan de vele sannyasins in Nederland. Behalve Amsterdam bezocht ze ook andere grote communes in Europa.

Sheela heeft gezegd dat Bhagwan vindt dat kinderen beter af zijn als ze zonder hun ouders wonen omdat zij de kinderen volstoppen met informatie over hoe het hoort. Als de kinderen apart zouden wonen bij liefdevolle mensen die niet hun ouders zijn maar wel sannyasins, kunnen ze zonder te veel ballast opgroeien.

De film *De Nieuwe Mens* van Frank Wiering, die pasgeleden is opgenomen in de commune in Amsterdam, wordt op tv uitgezonden. Onder de sannyasins gonst het; eindelijk iemand die de moeite neemt ons echt te begrijpen.

Mijn moeder en ik hebben een dag van de opnames meegemaakt toen we op bezoek waren in de commune in Amsterdam. De commune is verhuisd naar een extra groot gebouw en is nu gevestigd in een oud klooster.

Op de dag van de uitzending van de film *De Nieuwe Mens*, heeft mijn moeder het nergens anders over. Iedereen die belt of langskomt wordt op de hoogte gebracht. Ook mijn vader. De film wordt uitgezonden door de VPRO waar we lid van zijn, dus dat is goed, zegt mijn moeder. Die zouden niet zomaar een slecht verhaal over ons maken, wat vaak gebeurt, in kranten en praatprogramma's waar ze doen alsof we gek zijn. Zo is er een programma over Poona gemaakt; ze zeiden dat sannyasins er de hele dag rondhingen, niets deden, mislukte huwelijken hadden en voormalig psychiatrische patiënten waren.

Als de film begint zijn we een beetje zenuwachtig. Het gaat over ons! De man in de film vertelt dat hijzelf ook bijna sannyasin is geworden en we lachen omdat hij het net niet durft. Hij blijft liever deel van de domme massa. Hij is naar de commune in Amsterdam geweest en naar de Ranch. We zien veel bekenden op televisie. De man doet het leuk en is aardig, maar toch komt het een beetje over alsof we raar zijn. Zo zal de buitenwereld ons natuurlijk altijd zien, omdat ze het niet echt snappen. Bovendien wordt er in artikelen over de film gezegd dat we een sekte zijn, en dat zijn we niet. Een sekte is voor mensen die niet kunnen nadenken en zomaar iemand achternalopen, maar sannyasins zijn vaak hoogopgeleid, dus zeker niet dom. En Bhagwan is natuurlijk geen gekke sekteleider.

Het lijkt alsof iedereen op school de film heeft gezien waardoor mijn klasgenoten er ook meer van begrijpen. Toch hebben leerlingen het vooral over de condooms en de handschoenen die van Bhagwan moeten worden gebruikt als sannyasins seks met elkaar hebben. De meeste leerlingen hebben nog nooit van aids gehoord en maken er grappen over. Ik moet vaak uitleggen wat het is. Ik snap niet hoe het kan dat hun ouders nooit van aids hebben gehoord.

Mijn vader heeft de film ook gezien en kan zich nu een beter beeld vormen van mijn verblijf op de Ranch. Ik geloof niet dat hij het allemaal goed vindt. En ik kan hem niet duidelijk maken waarom het ook leuk is om daar te zijn en waarom we De Nieuwe Mens zijn.

Iedere keer als ik met hem praat, raak ik in de war. Zijn we nu een nieuwe dus betere mens en daarom beter dan papa? Gaat hij wél dood als er een natuurramp of kernoorlog is en ik niet, omdat wij thuis mediteren? Moet ik hem dat vertellen of zou hij dat niet snappen? Of snap ik het zelf niet? Ik wou dat mijn moeder het hem uitlegde, maar ze praten zelden met elkaar.

Over aids is nu veel te doen. In de *Rajneesh Times* wordt er vaak over geschreven. Nu weer dat aids inderdaad in speeksel zou kunnen zitten. Aangeraden wordt elkaar niet te zoenen en niet uit elkaars bekers te drinken, of hetzelfde bestek te gebruiken. Als ik bij mijn vader ben, die de sla maakt en de saus proeft met een lepel, durf ik niet meer van de sla te eten. Ik zeg het maar niet omdat ik bang ben dat hij kwaad wordt. Niemand gelooft dat aids echt een enge ziekte is.

Ik krijg een brief van Sajala, het meisje dat ik leerde kennen in Soest. Ze vraagt in haar brief of wij naar de commune gaan verhuizen. Haar moeder denkt daarover na.

Mijn moeder praat er weleens met me over, maar ze is er nog niet uit. Ik ook niet. Het lijkt me gezellig als het altijd zo zou kunnen zijn als op de Ranch. Geen school, werken en de dagen doorbrengen met veel gezellige mensen. Maar niet alles is gezellig en bovendien kan ik dan niet meer zo makkelijk naar mijn vader toe gaan, want de commune zit in Amsterdam. Het lijkt me wel leuk als Sajala er ook woont. Misschien zouden we dan samen kunnen werken. Maar ik heb ook mijn vriendinnen op school, en ik leer daar een heleboel. Dat is toch allemaal belangrijk, al zegt Bhagwan dat aardrijkskunde en geschiedenis er niet toe doen. Mijn vader is het daar helemaal niet mee eens. Trouwens, zegt hij, hoe kun je nou weten of Bhagwan een belangrijk iemand is of niet, zonder veel boeken te hebben gelezen?

Toch lijkt mijn moeder steeds serieuzer te overwegen om te verhuizen. Bhagwan heeft gezegd dat de commune voor sannyasins de ultieme plek is om te wonen en dat je de commune echt moet ervaren. Mijn moeder en ik krijgen ruzie als ze vertelt dat we veel spullen zouden moeten wegdoen. Mijn spullen wegdoen, nooit.

Daarom ben ik tegen. Niks verhuizen naar de commune. Ik wil een normaal leven, net als mijn klasgenoten.

De nieuwe rage op school zijn ratten. Iedereen heeft er een. Simon, een jongen uit een andere klas, biedt me er een aan want hij heeft twee nesten. Onze katten Pief en Paf zijn allang dood, de nieuwe is ook doodgegaan en de parkiet heeft een hartaanval gehad. We moeten snel een nieuw huisdier, vind ik, dus ik ga op Simons aanbod in. De volgende dag neemt hij een kleine bruine rat mee. Het mag niet van mijn moeder, maar ik neem hem toch in mijn trui mee naar huis. Als ik thuiskom, laat ik hem stiekem in mijn jaszak zitten. Maar na een tijdje steekt hij ineens zijn kop uit mijn zak.

Mijn moeder is woest. 'Ik heb nog zó gezegd dat je geen rat mocht,' schreeuwt ze. Maar Snuffie is een schatje en zit lekker in mijn trui. Bovendien is hij slim en netjes op zichzelf. De volgende ochtend mag hij niet mee naar school. Weer hebben we ruzie, want ik wil hem wel meenemen, net als alle anderen.

Maar het mag echt niet. Op school heb ik een rotdag en Simon vraagt in de pauze waar Snuffie is. Als ik boos thuiskom, blijkt mijn moeder onverwachts een hok te hebben gekocht met alles erop en eraan. Ze vond hem toch lief en dacht: nu Snuffie er is, moeten we ook voor hem zorgen. Ze had nog met Snuffie in haar bloes staan afwassen, wat ze volgens mij best gezellig vond.

Na lang praten mag Snuffie daarna toch mee naar school. Daar sta ik een paar keer doodsangsten uit omdat hij soms in winterslaap lijkt te zijn. De meeste leerlingen hebben hun rat in hun trui boven hun riem hangen waar de ratten door de warmte in slaap vallen en rustig zijn tijdens de les. Maar in de pauze krijg ik hem een paar keer niet wakker, ook niet als ik water in zijn gezicht sprenkel.

Mijn moeder zegt dat we Snuffie niet kunnen houden als we de commune in gaan. Niemand mag daar een huisdier houden, want sommige mensen kunnen er allergisch voor zijn. Voor mij is dit een extra reden om niet naar de commune te willen.

Maar mijn moeder komt met een extra argument om juist wel te willen. Er is nieuws dat de commune Medina, voor volwassen sannyasins in Engeland, gesloten zal worden om er tijdelijk een internationale kindercommune van te maken voor alle sannyasin-kinderen wier ouders in een Europese commune wonen. Ik zou er les krijgen maar niet in een echte 'klas' zitten. Mijn moeder wil niet dat ik lang ergens zonder haar woon, maar omdat er verhalen gaan dat de school al snel zal verhuizen, en misschien wel naar Nederland, zou ik maar een paar maanden bij haar weg zijn, en dat vindt ze niet zo erg.

Rupi gaat er lang over door en heeft het met iedereen over de eventuele verhuizing. Ik zie al voor me hoe we met één koffer naar Amsterdam vertrekken en ik vervolgens doorgestuurd word naar Engeland. Voor al onze andere spullen is te weinig plek. Ik vind het asociaal dat mijn moeder zomaar kan beslissen dat ik mijn eigen spullen moet wegdoen.

Ik besluit niks meer te doen op school. Het heeft toch geen zin over te gaan naar de tweede, als ik naar een school zonder klassen moet. Wat maakt het allemaal nog uit?

Als mijn moeder met gewone vrienden over haar plan praat, krijgt ze soms kritiek. Ze zeggen dat het niks voor haar is. Maar dat zeiden ze ook al toen ze sannyasin werd en dat heeft niet geholpen. En mijn moeder is niet tevreden met de gewone wereld. Ze vindt dat we leven in een materialistische yuppenmaatschappij waarin alles om geld en macht gaat.

Nu is ze aan het berekenen hoeveel geld we nodig hebben en hoe het met ons huis verder moet. Ongeveer 5500 gulden is nodig voor de eerste drie maanden in de commune. Daarna 'verdien' je met je werk voor de commune je eten en onderdak.

Hoewel mijn moeder druk bezig is met zichzelf, valt het haar toch op dat mijn rapporten steeds slechter zijn en dat ik feitelijk niet meer doe dan naar de radio luisteren en met mijn vriendinnen Catharina en Marieke rondhangen op het Centraal Station in Den Haag. Ze maakt zich zorgen en spreekt me streng toe. Maar ik heb geen zin om haar een plezier te doen door harder te gaan werken als ze toch besluit om te gaan verhuizen.

Omdat Rupi veertien dagen in een groep zit die *Primal* heet, logeer ik met Snuffie bij papa. We hebben een lang gesprek over aids want hij is erachter gekomen waarom ik soms dingen niet eet. Volgens papa is het allemaal onzin.

Ik vind het bij papa en zijn vrouw niet altijd gezellig, maar ze vormen wel een echt gezin. Ik doe alles met mijn broertje; in bad gaan, verhaaltjes lezen, naar bed brengen. En als papa een boterham maakt met een gebakken ei er-op, neem ik gewoon een hap van zijn boterham. 's Avonds draait mijn vader plaatjes voor me en vertelt me de verhalen die erbij horen. Hij kan heel goed vertellen en zegt bij het naar bed brengen altijd: 'God zegene je.' Ik ben bij mijn vader anders dan bij mijn moeder en weer anders dan op school. Soms word ik er doodmoe van.

Als de veertien dagen voorbij zijn, heeft mijn moeder definitief besloten dat we vertrekken uit Leiden. Aan het einde van de zomervakantie verhuizen we naar de commune in Amsterdam. Mijn moeders vriend gaat niet mee.

Nadat ze het heeft verteld, zittend op een kussen op de grond bij de kachel, ren ik met Snuffie naar boven en ga op bed liggen huilen. Ik kijk mijn kamer rond en zie mijn knuffelberen, mijn boeken, mijn radiootje op de plank, mijn bureau en mijn ongebruikte lottobalapparaat waar ik ineens heel erg van houd. Ik zal alles weg moeten doen.

Op school vertel ik niks, en thuis gaat alles in sneltreinvaart. Mijn moeder heeft een heleboel spullen en bij ieder ding moet bepaald worden waar het heen gaat. Meubels wil ze gaan verkopen of uitlenen, kook- en kampeerspullen worden opgeslagen voor als we ooit weer uit de commune komen. Mijn moeder maakt allemaal lijsten om de verhuizing te organiseren. In ieder hoekje van het huis staan spullen waarvan ze niet weet waar ze heen moeten: schilderijen, kindertekeningen van mij, oude apparaten, gereedschap. Ze maakt afspraken met inboedelkopers en stelt advertenties op.

's Avonds kan ik niet slapen door het vooruitzicht weg te moeten uit Leiden. Ik woon sinds mijn geboorte in deze straat, eerst aan de ene en toen aan de andere kant. Ik ken iedere steeg in de buurt en Het Plantsoen van haver tot gort.

Amsterdam vind ik een rotstad en nog gevaarlijk ook. Ik wil daar helemaal niet wonen. En ik wil Catharina en Marieke, Camilo, Marco en Simon niet missen. Ik wil Snuffie niet wegdoen. Ik wil geen Chandra heten en rode kleren dragen. Ik wou dat ik nooit met sannyasins in aanraking was gekomen.

Uiteindelijk besluit ik toch maar op school te vertellen dat we gaan verhuizen, omdat klasgenoten steeds vragen wat er met me aan de hand is. Ze vinden het gek, maar ook wel grappig. Lekker laat naar bed en veel kattenkwaad uithalen. Misschien is het een goed idee mijn dagboeken aan Catharina te geven, want ik wil ze niet bij mijn vader laten. Ik heb Marieke beloofd dat ze mijn oorbellen en kettinkjes mag hebben. En mijn broertje krijgt alle *Barbapappa*-boeken.

Ik heb Simon moeten vertellen dat ik Snuffie aan hem terug moet geven. Maar dat gaat absoluut niet, zegt Simon. 'Als Snuffie terugkomt, nu hij volwassen is, maakt hij alle andere ratten af.' Het is een probleem want niemand anders wil een volwassen rat. Ze willen allemaal een kleintje.

Het schooljaar loopt bijna ten einde en het is wel duidelijk dat ik niet overga. Verschillende leraren hebben gevraagd waarom ik niet hard werk, maar ik kan het ze niet uitleggen. Waarschijnlijk gaat tweederde van de klas niet over. Ze klagen steen en been over 1C.

In de Stad Rajneesh, de nieuwe grote commune, wordt een feestdag gevierd. Ik zie Sajala daar toevallig en ze vertelt dat zij deze zomer ook met haar moeder naar de commune gaat. Daar ben ik heel blij om. Misschien kunnen we wel samen op één kamer. Net als ik is zij ook ingeschreven voor de Rajneesh School in Engeland. Maar zij staat lager op de wachtlijst.

Ik heb me aangekleed zoals dat bij mij op school gewoon is; een stretch spijkerbroek, maar dan een rode, en mijn haar heb ik getoupeerd. Iedereen maakt opmerkingen over mijn uiterlijk tegen mijn moeder. 'Als ze hier eenmaal zit, zal het wel snel overgaan, dat gedoe met make-up en zo.'

'Ik hoef toch niet ook nog mijn uiterlijk te veranderen,' roep ik mijn moeder woedend na.

Over een paar weken gaan we verhuizen. Mijn moeder zegt dat Bhagwan gelijk heeft gehad wat betreft de natuur, dat die in opstand komt tegen wat wij mensen met de aarde doen. Het kan wel kloppen, want het is zomer maar de thermometer komt niet hoger dan dertien graden.

Rupi zegt ook dat het niet goed is dat Snuffie in een hok woont en dat het goed zou zijn als hij ergens kan wonen waar hij naar buiten kan. Misschien moet ik voor Snuffie een sannyasin-naam aanvragen bij Bhagwan en mag hij dan toch in de commune wonen.

Voordat we verhuizen gaat Rupi nog een keer naar de Ranch. Ik ga niet mee, ik ga bij papa logeren. Ik weet niet wat ik hem wel en niet moet vertellen. Tijdens de laatste boeddhaveld-meeting, als we met alle sannyasins in Nederland bij elkaar zijn, vertelde de leidster van de commune in Amsterdam dat we als sannyasins nooit in ons eentje over straat moeten lopen omdat sommige mensen agressief tegen ons kunnen doen. Zoiets kan ik beter niet tegen mijn vader zeggen, dan zou hij kwaad worden. Op de dag dat de leidster dit vertelde waren vier sannyasins in elkaar geslagen!

Eigenlijk verbaast het me niks, want toen ik een keer met de fiets van school thuiskwam werd ik achtervolgd door de broer van een meisje verderop in mijn straat. Het is een heel enge jongen en hij heeft veel vrienden die allemaal stekeltjeshaar met veel gel erin hebben. Ze riepen: 'Hé, daar gaat de Bhagwan!' Ik ben niet eens Bhagwan, ze snappen er niks van. Maar ik moest flink omfietsen om toch veilig thuis te komen. Ik vermoed dat het dezelfde jongens zijn die een tijdje geleden bij ons een steen door het raam gooiden. Dat heb ik ook niet aan mijn vader verteld.

Ik vind mijn moeder sinds ze die Primal-groep heeft gedaan heel egoïstisch. Ze zegt dat ze haar hele leven aan anderen heeft gedacht en dat ze nu voor het eerst echt aan zichzelf gaat denken. Volgens mij denkt ze een beetje te veel aan zichzelf. Ze weigert nog langer ja te zeggen als ze eigenlijk nee voelt. Hopelijk blijft ze koken en voor mij zorgen. Ik heb keihard 'Careless Whisper' van George Michael opgezet en hard gehuild. Ik vind het vreselijk dat ik van school af moet.

Zoals verwacht gaat tweederde van de klas niet over. We worden gezien als een soort randgroep die alleen maar kattenkwaad uithaalt. Ik heb veel met mijn vriendinnen gepraat over mijn verhuizing. Ze zijn er niet bij, want tijdens de verhuizing is de zomervakantie allang begonnen en dan zijn ze weg. Een vriendinnetje zei dat ze niet van plan is langs te komen in de commune omdat ze bang is dat ze dan beïnvloed zal worden. Dat vind ik dom, ik zou haar nooit willen overhalen om ook sannyasin te worden. Maar Marieke schreef een briefje en gaf twee oorbellen. Op het briefje stond: 'Lieve moesje, ik hoop dat je het fijn krijgt in Amsterdam en dat daar een leuke knul is die voor altijd van je houdt, en dat meen ik echt.'

Bij papa is het net of ik er voor het laatst ben. We praten niet veel over mijn verhuizing, al zegt hij wel dat we contact moeten houden door brieven te schrijven en te bellen. Ik raak door mijn logeerpartij weer in de war. Zijn dit nu de mensen waar wij sannyasins ons verre van moeten houden? Is iedereen nou zo slecht omdat ze onbewust zijn en niet verlicht willen worden? Ze hebben feestjes en drinken en roken, maar is dat dan onbewust? Feesten hebben wij ook, meer dan wie ook, omdat je van Bhagwan alles moet vieren en veel mensen roken en drinken in de commune. Wat is dan het verschil?

De buitenwereld is hard en gemeen, zeggen ze, en wij zijn liefdevol. Ik geloof het vaak, dan denk ik: de commune is misschien wel de veiligste plek ter wereld omdat iedereen het goed bedoelt. De anderen hebben religies die ten dode opgeschreven zijn en waardoor mensen worden onderdrukt. Dat gelooft mijn moeder ook. Maar als we bij papa twaalf uur lang naar *Live Aid* kijken, waar artiesten alles op alles zetten tegen de armoede in de wereld, dan ben ik ervan overtuigd dat de gewone wereld ook goed kan zijn. Ook deze mensen zien eruit alsof ze het menen en ze staan arm in arm en hand in hand te zingen. Waarom moet ik dat stom vinden? Ze zijn gewoon én ze zijn aardig. Alhoewel Bhagwan zegt dat armoede niet hoeft te worden opgelost, dat Moeder Teresa een egotrippende oplichtster is en dat de middelmatigen zullen doorgaan met slapen terwijl sannyasins wakker worden, ben ik het daar niet helemaal mee eens.

Nadat mijn moeder is teruggekomen van de Ranch is het moment aangebroken dat ik afscheid moet nemen van Snuffie. Ik heb Simon steeds weer gevraagd of hij Snuffie wil overnemen en uiteindelijk stemde hij toe. Vandaag brengen we hem naar Den Haag.

Op Simons kamer staan twee grote terraria met ratten. Snuffie is overduidelijk de grootste. Zo te zien gaat hij ook een soort commune in. Ik draai me om en huil de hele weg terug in de auto.

De advertenties van mijn moeder leggen ons geen windeieren: het huis is vol mensen die aan onze spullen zitten. Op elk item zit een papiertje met de prijs. De mensen kiezen wat uit en rekenen contant af.

Aanvankelijk was ik niet van plan mijn bezittingen op te geven, maar nu we dan toch echt gaan en alles, inclusief kleren, in de oude leren koffer van oma moet passen, besluit ik om dan ook maar alles weg te doen. Rupi vindt mij zelfs veel te streng daarin. Van mijn kleren blijven alleen de rode over. De rest heb ik nooit meer nodig. Voor mijn kast krijg ik veertig gulden en voor mijn boeken zeventig, die ik zelf mag houden. Mijn moeder bewaart sommige zaken wel, zoals haar collegedictaten, bijzondere spullen die ze van oma heeft gekregen en sieraden. Ook de Citroën Diane en twee kasten die ze zelf heeft gemaakt, worden opgeslagen bij vrienden. Ze komen allemaal dozen ophalen en wensen ons succes. Mijn dagboeken, het enige dat ik bewaar naast mijn beer Bolke, zitten ook ergens in een doos. Ik kan ze toch niet aan Catharina of Marieke geven omdat er ook dingen over hen in staan.

De ochtend van onze verhuizing kunnen we geen afscheid nemen van onze buren want die zijn met vakantie. Gelukkig zien ze daardoor ook het gekke rode busje met twee swami's niet dat ons op komt halen.

We gaan een nieuw leven tegemoet. Zullen nooit meer alleen in de keuken staan of onze eigen wc hebben, in ons eentje douchen of rustig televisiekijken en de *Hitkrant* lezen. Vanaf nu wonen we met gelijkgestemden om zo Bhagwans droom te realiseren. Als we wegrijden kijk ik om naar ons huis. Als we de straat uit zijn, lijkt mijn normale leven voorgoed voorbij.

Met één koffer

1985 De Stad Rajneesh

Het communegebouw staat in een rustige buurt in Amsterdam-Zuid. Het voormalige klooster ziet er met zijn donkerbruine stenen en kleine vierkante ramen uit als een onneembare vesting. Niets aan de buitenkant verraadt iets over het leven achter de muren. Hoogstens verwacht je een paar nonnen te zien, maar in plaats daarvan lopen er sannyasins rond.

Dit is mijn nieuwe huis, denk ik, hier woon ik voortaan, met al die mensen. Wel meer dan tweehonderd. Het gebouw ziet er voor mijn gevoel anders uit dan de vorige keren dat ik hier ben geweest.

Onze koffers worden uit het busje gehaald en we begeven ons, onder begeleiding van de twee swami's, naar de ingang. Een zware houten deur gaat open en we lopen naar binnen. De geur van pure alcohol vermengd met het aroma van groentesoep dringt zich in mijn neus. Eén voordeel van de verhuizing naar de commune is dat ik hier lekkerder zal eten dan thuis.

Ik zie de glimmend schone receptie met achter de balie een morsig uitziende, wat oudere ma. Ze zit te bellen.

Op haar bureau staan een telefoontoestel met een heleboel knopjes, een microfoon, veel mappen, bakjes en een vaas met bloemen. Aan de muur hangt een groot portret van Bhagwan. Zijn ogen priemen onze kant op.

De enthousiaste swami's lopen weg, een lange gang in. We staan met onze koffers in de hand te wachten tot de vrouw klaar is met telefoneren. Ze pakt de microfoon, zet hem aan en roept: 'Telephone for swami Arubindu, Arubindu, telephone at the reception desk.' Haar Engels heeft een Duits accent.

Dan richt ze zich tot ons. 'Welcome, I heard that you were coming today. How wonderful.' Ze komt achter de balie vandaan om mijn moeder te omhelzen. Daarna worden formulieren doorgebladerd, zet mijn moeder een handtekening en krijgen we te horen waar onze slaapplaats is. Iemand die blijkbaar Arubindu heet, een donkere man met een lange baard, is naar de telefoon gekomen. Hij voert een gesprek in het Engels.

Mijn moeder weet waar we naartoe moeten en met onze koffers beklimmen we de trap die links van de receptie omhooggaat. Het is een ouderwetse trap, niet al te breed, met een houten leuning en stenen treden. Al klimmend zien we door de hoge glas-in-loodramen een flard van de binnenplaats met bewegende rode vlekken. Af en toe passeren we andere sannyasins die in haast de trap af komen en ons begroeten met: 'Hi, are you moving in? Great!'

Op de derde verdieping gaan we rechts een lange gang in, met aan de linkerkant de hoge vierkante raampjes. Aan de andere kant zijn deuren die naar slaapkamers leiden. Een paar deuren staan open, en ik herinner me nog van de rondleiding dat de kamers erachter klein en wit zijn.

Aan het eind van de gang gaan we weer naar rechts en

komen we in een oud klaslokaal terecht. Op de grond en in de gang liggen matrassen met paars beddengoed. Op sommige matrassen liggen mensen te slapen. We sluipen erlangs, tot we een derde klaslokaal bereiken, en mijn moeder zegt: 'Dit is voorlopig onze plek.'

Ik kijk om me heen en zie een paar opgemaakte matrassen liggen. Ernaast staan kleine witte kastjes. Ik gooi mijn koffer op het matras en loop naar het raam. Daarbeneden is de binnenplaats. Ik zie overal sannyasins. Een paar staan te roken bij een afdakje. Anderen zitten in de zon op bankjes. Door de openstaande ramen hoor ik veel gelach en gepraat. Een paar sannyasins omarmen elkaar. Het ziet er gezellig uit.

Die avond eten we voor het eerst in de commune. Het is op dezelfde manier geregeld als op de Ranch. In de grote eetzaal staan tafels opgesteld met daarop een bestekbak, borden en servetten en daarna grote pannen soep, schalen met salades, rijst, groente, sauzen en toetjes.

Sannyasins staan te wachten in een rij, mijn moeder en ik sluiten achteraan aan. Onwennig kijken we rond. Ik voel me ongemakkelijk door mijn haar en make-up. In vergelijking met de rest zie ik er nogal opgetut uit.

'Careful, hot soup!' roept een ma die met een enorme pan aan komt lopen. Iedereen om ons heen stuift uiteen en reageert enthousiast op de soep. Er wordt gelachen en over en weer worden grapjes gemaakt. Een swami aan de andere kant van de tafel lacht ook hard mee en kijkt mij dan lang en doordringend aan.

Mijn moeder en ik eten onze maaltijd aan een witte plastic tafel. Ze is inmiddels in gesprek geraakt met Aruna, een Nederlandse vrouw die weleens bij ons thuis is geweest. Ondertussen kijk ik rond. De eetzaal is groot, zeker twintig meter lang en er staan wel dertig witte tafeltjes waar je met z'n zessen aan kunt zitten. De tuindeuren naar de binnenplaats staan open en je kunt de zomerwarmte voelen. Aan het plafond hangen moderne lampen en aan weerszijden van de zaal hangen grote portretten van Bhagwan.

Ik kan me maar moeilijk voorstellen dat iedereen huis en haard heeft verlaten om hier te kunnen wonen. Iedereen is hier met één koffer naartoe gekomen om zo dichter bij Bhagwan te zijn. Zou iedereen dit de beste plek vinden?

De volgende dag leren we meer over hoe de dingen hier precies in z'n werk gaan. Ten eerste moeten we de eerste drie maanden lang alles zelf betalen. Gelukkig heeft mijn moeder het benodigde geld gespaard en heeft de verkoop van onze spullen iets opgeleverd. Wel krijgen we een voucher, een strook karton met daarop eenendertig vakjes voor drankjes, eenendertig pakjes sigaretten en eenendertig repen chocola of andere zoetigheid. Je kunt alles krijgen in de lounge. Niemand heeft geld op zak, want dat heb je hier niet nodig.

De was wordt elke dag in de Laundry gedaan. Als je vuile was hebt, stop je die in je kussensloop op je bed. De dag erna of soms dezelfde dag krijg je die gewassen en gestreken terug. Op al je kleren moet je naam staan.

We eten net als op de Ranch drie keer per dag, beginnend met ontbijt om half acht. Als je tussendoor iets wilt eten, kun je naar de lounge of naar de snackbar gaan. De commune heeft twee deuren, een met een receptie voor bewoners en een gelegen aan de drukste straat. Daar is ook de snackbar vlakbij.

De Bhagwan-video wordt elke avond in Mandir, onze

meditatieruimte, vertoond, waar ook de feesten worden gehouden. Er staat een karaokemachine en er ligt een enorme stapel matrassen. Buiten kun je roken en je kunt in de tuin zitten.

Als je van de ene naar de andere grote Europese commune wilt gaan, kun je een shuttle bestellen en er met het eerstvolgende busje naartoe gaan. Als je elkaar berichten wilt doorgeven kun je briefjes in de message box doen.

De redactie van de *Rajneesh Times* en de kantoren zitten op de tweede verdieping. Daar worden alle geldzaken van de commune bijgehouden: verzekeringen, contracten en alle andere belangrijke papieren. Er is ook een tweede receptie met een telefooncentrale en een omroepsysteem.

Iedereen slaapt op een kamer met meerdere mensen, meestal met z'n vieren, behalve de belangrijke mensen, die slapen soms maar met twee personen op een kamer. In vierpersoonskamers bevinden zich meestal twee matrassen op een loft die speciaal is aangebracht. Er is een grote kast waar iedereen zijn kleren in kan hangen en daarnaast staat er bij elk bed een kastje voor je wekker en voor de condooms en handschoenen. In iedere kamer staat ook een afvalbakje waar je de besmette spullen in kunt weggooien.

Het is de bedoeling dat je stil bent op je kamer, want sommige mensen slapen overdag. Zij hebben nachtdienst in Zorba of werken bij de nachtreceptie. Er is op je kamer verder ook niet veel te doen. Om te voorkomen dat je te veel gaat verzamelen moet je een keer per maand zennen. Dat wil zeggen dat je al je spullen nagaat en kijkt of er niet iets weg kan. Het is niet alleen goed voor de commune vanwege het ruimtegebrek, maar ook voor jezelf: zoveel heeft een mens niet nodig als alles al verzorgd is.

Om te douchen kun je naar de badkamers; op bijna elke verdieping is er een met ongeveer acht douches. Shampoo, zeep, tandpasta, haargel, watjes, crème en handdoeken liggen allemaal klaar.

Op de wc's moet je goed opletten dat je je handen schoonmaakt met alcohol vanwege aidsgevaar. Ook als je aan de telefoon hebt gezeten, komt er een alcoholdoekje aan te pas. En voor het eten moet iedereen zijn handen reinigen. Bovendien mag je niet aan postzegels likken of elkaars bestek of bekers gebruiken. Een hapje van iemand anders bord kan al riskant zijn!

Communeleden moeten elke drie maanden een aidstest doen. Mensen die minder dan drie maanden in de commune wonen, een partner hebben buiten de deur, nog geen uitslag van de test hebben of de incubatietijd hebben doorgemaakt, moeten een speciale kraal aan hun mala hangen. Dat betekent dat je nog niet veilig bent. Omdat ik een kind ben hoef ik zo'n kraal niet te dragen maar ik moet wel een aidstest doen. Mijn moeder krijgt de kraal, omdat ze een vriendje heeft in Leiden.

Ik vind dat we thuis heel gevaarlijk hebben geleefd en zeker bij papa. Maar mijn moeder vindt het een beetje onzin. 'Als aids in speeksel zou zitten, zouden we allemaal allang dood zijn,' zegt ze. Maar ik denk dat het goed is om voorzichtig te zijn.

Als je zo rondloopt door de commune, is het best gezellig. Iedereen werkt en lacht, mensen zijn vrolijk en het ruikt altijd naar eten. Er wordt Engels en Duits gesproken en soms hoor je Italiaans. Er zijn weinig oudere mensen. De mensen zijn ongeveer zo oud als mijn moeder en er zijn iets meer vrouwen dan mannen die overigens vaak lang haar hebben. De sannyasins doen van alles, meestal iets wat met hun oude beroep te maken heeft. Zo zijn er masseurs, schrijvers, dj's, accountants, architecten, muzikanten, koks, schilders: alles wat je maar kunt bedenken.

Op veel plekken wordt nog verbouwd, want de commune is nog niet helemaal af. Sommige mensen moeten daardoor in ruimtes slapen die eigenlijk voor meditatiegroepen bedoeld zijn.

Rupi's werk bij de *Rajneesh Times* kan waarschijnlijk gewoon doorgaan, maar eerst moet ze in Magdalena werken. En misschien ook in Zorba. Dat vind ik minder leuk, want dan komt ze pas om vijf uur 's nachts thuis. Tegen mij hebben ze gezegd dat ik misschien volgende week naar de school in Engeland ga. Maar dat is onzeker, het kan ook al morgen zijn en daarom heeft het niet veel zin om me ergens in te delen.

Bij mijn bed is iets verdwenen. Mijn wekker staat er niet meer. Ik vraag me af waar hij is gebleven. Misschien had iemand hem even nodig. Nu moet mijn moeder me morgen maar wakker maken.

Sajala en haar moeder zijn er nog niet. Er zijn wel een paar andere kinderen en wat tieners uit andere communes. Ik ken nog niemand, alleen van gezicht. Omdat ik binnenkort weer moet vertrekken, heb ik geen zin moeite te doen om ze te leren kennen. Veel kinderen logeren op de Ranch, zij wonen al zolang in de commune dat ze het hebben verdiend om langere tijd dichter bij Bhagwan te zijn.

Als ik ga slapen, denk ik aan Snuffie en dat hij nu ook een nieuwe plek heeft en misschien ongelukkig is.

De shuttle blijkt de volgende ochtend inderdaad al naar Engeland te vertrekken. Ik moet razendsnel mijn spullen pakken en afscheid nemen van mijn moeder. Er gaan twee volwassenen en een ander meisje mee. Ik ken haar niet, ze heet Niti. Mijn moeder is een beetje zenuwachtig.

'Zul je veel schrijven en bellen?'

'Ik zal wel zien. Misschien is het daar druk of kan het niet.'

'Maar zul je contact blijven houden? Ik stuur je snel leuke dingen op.'

Mijn moeder laat me een formulier zien dat ze moet tekenen en in moet leveren. Er staat op dat als ik doodga, ze me direct mogen cremeren volgens het gebruik van het rajneeshisme. Er staan nog meer dingen op die ik niet helemaal kan volgen en waar mijn moeder boos over is. Het heeft te maken met anticonceptie. Volgens het formulier mogen ze me anticonceptie geven op twee verschillende manieren: chemisch en mechanisch. Ik begrijp niet wat mechanische anticonceptie is, maar er is geen tijd om erover te praten. Rupi zal het er nog met de leiding over hebben.

Ik geef mijn moeder drie dikke zoenen en omarm haar als ik wegga. Ik ben nog nooit eerder lang bij mijn moeder weggeweest, tenminste niet langer dan drie weken. Ik moet het nu in mijn eentje rooien.

Krachten van binnenuit
1985 Rajneesh School Medina

Het is donker als we aankomen. Nadat we over een lange oprijlaan met een hek zijn gereden zie ik in het licht van een lantaarn nog net de omtrek van een ouderwets gebouw met een grote trap naar de entree. We zeggen niet veel, iedereen is moe en pakt zijn bagage uit het busje. We lopen de trap op en bellen aan. Een vrouw komt aanlopen, we zien haar door de ramen van de deur. Het is een Indiase die zich voorstelt als Champa.

'Hi, Niti and Chandra, there you are, hoe was jullie reis?'

We lopen een grote hal binnen. Aan de rechterkant bevinden zich deuren en aan de linkerkant is een brede houten trap. Voor me is een grote schouw met daaronder een haard. Er staan stoelen voor, die uitkijken op een gazon.

Terwijl onze chauffeur en de begeleidster hun eigen kamers opzoeken, vertelt Champa aan Niti en mij wat we nu verder moeten doen.

'Iedereen slaapt al, dus jullie kunnen beter ook naar bed gaan. Het ontbijt is om half acht, maar omdat het laat is mogen jullie morgen uitslapen. Als jullie daarna naar mij komen in het kantoor, zal ik jullie ergens indelen. Meestal begint iedereen eerst in Raidas, de schoonmaak, maar daar hebben we het morgen wel over.'

Ze loopt een lange gang in en wij volgen haar.

'Chandra, jouw kamer is in Alan Watts, dat is een ander gebouw, ik breng je er zo wel naartoe. Niti, jouw kamer is hierboven in de Main House.'

Terwijl Champa en Niti een gang in lopen, kijk ik rond in de hal. Er hangen drie grote portretten van Bhagwan, net als in alle andere communes. Het pand is oud en ademt de sfeer van een kostschool. Ik kijk in een van de lokalen waarvan de deur openstaat. Het lokaal is geen schoollokaal maar een kantine; een tafel met koffie- en theemachines staat links in de hoek en ik zie een heleboel tafels en stoelen met daarachter grote ramen.

Een deur gaat open en een vrouw komt op me af lopen. 'O, hi, jij bent zeker nieuw!' zegt ze. 'Welkom. Nou, je ziet er wel anders uit dan de meeste tieners hier. Wat een haar! Maar je bent al heel lang sannyasin, zie ik, want je hebt nog een kindermala. Een echte ouwe ben jij! Far out!'

Champa brengt mij naar mijn kamer op de eerste verdieping in het Alan Watts-gebouwtje. Ik kruip stilletjes in bed. Mijn koffer pak ik morgen wel uit. Op mijn nachtkastje staan een telefoon en een klein portret van Bhagwan. Het rode boekje *Rajneeshisme*, geschreven door Sheela, met daarin onder andere de teksten van de Gachchhami's en een lijst met feestdagen, ligt er ook. Van de drie andere matrassen zijn er twee bezet. Het lijkt of er twee meisjes liggen, maar ik kan het in het donker niet goed zien.

Als ik de volgende morgen wakker word, neem ik de kamer in me op. De twee kamergenoten zijn al weg en hebben een behoorlijke troep achtergelaten. Her en der liggen kledingstukken en schriften op de vloer. De matrassen liggen vlak naast elkaar. Ik kijk uit het raam naar buiten en zie andere gebouwtjes staan. Het complex is ommuurd en je kunt maar aan één kant van het gebouw de horizon zien, over het bos heen waaraan het grote grasveld grenst.

Het kost me moeite de weg te vinden naar het grote gebouw en vervolgens naar de juiste plek voor het ontbijt en het kantoor van Champa. Zij deelt me in bij Raidas en ik mag na het ontbijt beginnen met het schoonmaken van de wc's. Een swami van ongeveer twintig jaar vertelt me dat de wc's elke dag met alcohol moeten worden schoongemaakt.

Ik bedenk dat mijn schoolvriendinnen nu in de klas zitten en les krijgen en dat de school-wc's vol staan met teksten, vies zijn en drukbezocht, maar dat het ook de plek is waar we de belangrijkste en meest geheime dingen bespreken. Als zij konden zien wat ik nu aan het doen ben, zouden ze me voor gek verklaren.

Met een emmer, doekjes, sponsjes en een mop begin ik bij de wc's beneden in het hoofdgebouw. Er is geen spoor van vuil te bekennen. De wc's zijn al brandschoon en zien eruit als een soort tempeltjes met planten en foto's van Bhagwan. Ik mop wat rond maar zie er het nut niet echt van in. Dat alles zo schoon moet, hoort bij sannyasins, dat weet ik wel. Omdat het veiliger is in verband met aids, maar ook omdat iedereen iets te doen moet hebben.

Als ik bij de derde rij brandschone toiletten kom, begin ik me te ergeren aan het nutteloze werk. Maar hier heeft Bhagwan het over gehad, prent ik me in. Je werk is je worship, zegt hij, en alles wat je doet is meditatie. Door je werk kun je, in plaats van je eraan te ergeren, ook tot rust komen en met jezelf in harmonie zijn. In een groter verband is mijn worship vast heel belangrijk, vertel ik mezelf. Bhagwan weet dat ik mijn best doe en ik probeer te genieten.

Tijdens het werk kom ik veel mensen tegen. Het is een raar idee, dat ik ze nog niet ken, maar wel meteen hun wc's schoonmaak. Het is niet echt het moment om elkaar te leren kennen want ik draag handschoenen tot aan mijn ellebogen en ik ruik naar pure alcohol.

In de avond, na nog meer wc's en enkele gangen en trappen te hebben schoongemaakt, kan ik eindelijk mijn schort uitdoen en gaan eten. Al mijn spieren doen pijn.

Het eten wordt net als in andere communes op lange tafels gezet. Met je bord loop je erlangs en schep je op waar je zin in hebt. Er is echter een strenge controle op wat kinderen opscheppen. Niet te veel van dit, en vooral ook wat van dat. Ik zie niemand die ik ken en ik ga aan een leeg tafeltje zitten. Gelukkig komt er even later een dik blond meisje op me af.

'Ben jij Chandra?' vraagt ze met een Duits accent.

'Ja, en jij?'

'Ik ben Divya. We slapen op dezelfde kamer. Prama slaapt er ook. En Dave, maar die is nu naar zijn vader in Ierland.'

Ik weet niet wat ik tegen haar moet zeggen. Ik geloof niet dat ik haar leuk vind want ze kijkt onvriendelijk. Ik vraag haar naar haar werk.

'Waar kom jij vandaan?'

Ik begin haar over Amsterdam te vertellen, maar al bij mijn eerste zin komt er nog een ander meisje bij zitten. Het is Prama. Ze stelt zich kort voor en ratelt dan een heel verhaal in het Duits. De twee meisjes giechelen veel.

'We denken dat jij echt iets voor Dave bent.' Een jongen schuift aan.

'Hoezo?' vraag ik. De jongen heeft een snottebel aan zijn neus hangen.

'Dat denken we gewoon,' zegt hij. 'Je mag er blij om zijn, hij is mooi en iedereen wil hem.'

Ik moet denken aan Catharina, Marieke, Camilo, Marco en Simon en vraag me af wat zij nu aan het doen zijn.

Na het eten krijg ik van een andere leidster, Sikta, een rondleiding. Ze heeft nu pas tijd. Niti heb ik niet meer gezien. We lopen vanuit de eethal naar de kantoren.

'Hier in het kantoor Socrates gebeuren allerlei dingen die te maken hebben met de organisatie van de Medina Rajneesh School.'

Ik zie een aantal bureaus met papieren erop. Er zit nog een swami te werken die zich voorstelt als Vijay. Dan lopen we een ander kantoor in.

'En hier in Chaitanya verwerken we de bestellingen voor het eten, de keuken, kleding, wasmiddelen, schriften, enzovoort. En hier,' we lopen een derde kantoor binnen, 'is Bankei. Voor alle geldzaken.'

Er valt niet meer over te zeggen en we vervolgen onze weg door de gang.

'Hier rechts is de bestekhal zoals we die noemen. Hier zul je ook weleens worshippen, want er wordt afgewassen.'

In het kleine kamertje dat voornamelijk bestaat uit servieskasten en een heel groot aanrecht, staan twee volwassenen en twee kinderen in hun rode schorten elkaar nat te spetteren met knijpkranen. Iedereen schatert van de lach en de vloer is kletsnat.

'Ik zie dat de energie lekker vloeit vanavond,' zegt Sikta tegen de afwasploeg.

We lopen verder door het monumentale pand. We komen langs Magdalena, waar wordt gekookt voor de mensen die in de nachtdienst werken. Het is een grote keuken met ouderwetse kasten en een enorm fornuis. Iedereen draagt een haarnetje. Naast de keuken loopt een trap naar een kelder en een trap naar boven.

Sikta laat me de slaapvertrekken boven zien. Sommige vertrekken tellen wel tien tot vijftien bedden, vol met ravottende kinderen.

Vanuit de Main Hall gaan we weer naar boven, dit keer naar de lokalen 101, 102 en 103. Het lijken echte klaslokalen maar in plaats van dat er schoolbanken staan liggen er kussens en matrassen op de grond. Buiten laat Sikta mij de Laundry Temple zien waar wasmachines en drogers staan. Op de planken liggen enorme stapels rode kleren.

Het is donker en we gaan via de rozentuin – 'Hier mag je komen tot aan de bomen maar niet verder het bos in' – naar Mandir. 'Hier houden we alle celebrations, de optredens van de kinderen en de lezing van Bhagwan.' Er zijn nog drie gebouwen waar kinderen slapen en er zijn een paar huisjes waar tuingereedschap staat. Dan stopt de rondleiding.

'Als je wilt kun je overdag een kijkje nemen in de lounge. Er wordt daar alcohol geschonken voor de volwassenen, dus het is niet de bedoeling dat je er 's avonds komt.'

Sikta laat me achter bij Alan Watts. Op de stoep zit een man te roken.

'Zo, hoe gaat het met je?'

'Goed,' zeg ik, en omdat ik niet weet of het de bedoeling is dat ik met hem blijf praten, loop ik door.

Er is niemand op mijn kamer. Bij het uitpakken van mijn koffer vraag ik me af of ik hier nou een volwassene ben of een kind. Ik moet werken om te zorgen dat de school voor de kleintjes goed draait, maar ik heb bedtijd en ik mag niet in de lounge komen.

Luisterend naar een bandje op mijn walkman denk ik aan thuis en zie ik mijn oude kamer voor me.

Divya en Prama komen vlak voor *lights out*, om kwart voor tien, binnen. Ze ruiken naar sigarettenrook. Het duurt lang voordat ze aanstalten maken te gaan slapen en ze maken grappen in het Duits. Ik versta hen maar half en ze zeggen niets tegen mij. Als er van buiten wordt geroepen, doen ze het raam open. Twee jongens klimmen via de regenpijp naar boven, onze kamer in. Ik doe alsof ik slaap.

De chocoladerepen die in Medina verkocht worden heten *Whispa*. Ik koop er een in het winkeltje annex kinderbarretje in de Main Hall tijdens de lunchpauze. Ik betaal met Engelse ponden die ik van mijn moeder heb gekregen. De jongen die er werkt is Nederlands en wordt naar eigen zeggen gek van de Engelse munten. Penny's, shillings en een ingewikkelde kassa maken zijn lunchbaantje tamelijk gecompliceerd. Hij heet Pradeesh en we kunnen meteen goed met elkaar opschieten. In de theepauze ga ik naar hem toe. Pradeesh doet allerlei klusjes in de tuin, en soms werkt hij in de keuken. Hij rijdt vaak op een tractor over de paadjes en haalt er takken en troep weg. Hij weet overal de weg en laat me plekken zien die ik nog niet ken, zoals het dak, waar je even alleen kunt zijn en kunt uitkijken over het terrein.

Op het dak klaag ik over mijn werk, want ik vind het schoonmaken maar niks. Pradeesh vertelt dat hij ook weleens wat in de keuken doet.

'Misschien moet je gewoon zeggen dat je liever daar wilt werken.'

'Kun je dan zomaar wisselen?' vraag ik.

'Je kunt op z'n minst zeggen wat je zelf wilt. Je bent hier toch om te leren? Dan moet je ook kunnen leren wat je wilt.'

Ik besluit snel met Sikta en Champa te gaan praten. In het gesprek dat ik uiteindelijk met Champa heb, moet ik duidelijk uitleggen waarom ik liever in de keuken wil werken.

'Niemand wil schoonmaken, snap je. Omdat je het resultaat bijna niet ziet. Maar in die tempel kun je veel voldoening krijgen,' zegt ze.

'Ik geloof dat ik meer energie kwijt zou kunnen in de keukentempel,' antwoord ik, in de wetenschap dat het woord energie altijd effect heeft. 'En dat ik me dan echt deel zou kunnen voelen van de commune.' Die laatste opmerking geeft de doorslag.

Als ik eenmaal in Maggie's mag werken, zoals we Magdalena noemen, voel ik me meer in mijn element. In de keuken van Medina leer ik dingen die mijn moeder mij niet kan doorgeven. Elke dag bereiden we ingewikkelde salades, zoals bijvoorbeeld de waldorfsalade, pizza's, we bakken brood en taarten, we maken twee soepen voor de lunch en maken zelf yoghurt.

Baruna is de blonde Nederlandse vrouw die mij dit alles leert. Ze is dertig jaar, schat ik. Met zijn tweeën bestieren we Maggie's, dat verder bemand wordt door meerdere 'groentesnijders'. We worden bijgestaan door de bakkerij en de afwasploeg ruimt naderhand de boel op.

De eerste dagen is het nogal wennen, want koken is hier een race tegen de klok. Nadat de ochtendploeg vanaf half zes heeft gewerkt om het ontbijt op tijd op tafel te krijgen, beginnen rond acht uur de voorbereidingen voor de lunch. Deze is verdeeld in drie shifts: om half twaalf moet het baby-eten klaarstaan, om kwart voor twaalf het eten voor de kinderen tot ongeveer tien jaar en om twaalf uur het eten voor de tieners en volwassenen. De samenstelling van het eten is telkens anders.

Het koken is ook niet ongevaarlijk; Baruna wijst al snel op mijn zomerschoenen die mijn wreef bloot laten.

'Ga je daarmee koken? Niks ervan. Als er kokend water op valt, verbrand je je voeten... Ga maar naar Vimalkirti om nieuwe schoenen te halen.'

Ik weet niet waar of wat Vimalkirti is, maar na haar aanwijzingen beland ik in een bijgebouwtje dat volhangt met grote partijen ingeslagen rode kleren. Vimalkirti blijkt de interne communewinkel te zijn waar sannyasins terecht kunnen voor kleding en schoeisel. Rode spijkerbroeken, rode T-shirts en schoenen. Ik kies voor witte gympen met een rode streep aan de zijkant. De volgende dag valt het me op dat het merendeel van de kinderen en volwassenen op deze schoenen loopt.

Het yoghurtprocédé heb ik snel onder de knie. Een enorme pan vol melk gaat aan het eind van de dag op het vuur. De melk moet worden opgewarmd tot 78,5 graden en vervolgens gaat er een beetje yoghurt bij van de vorige dag. Wonder boven wonder is de grote melkpan de volgende ochtend een pan met yoghurt geworden. Ik ben erg trots als het mij voor het eerst lukt. Kon mijn moeder het maar zien: ik ben dertien en volleerd kok.

Mijn handen, die ik niet in gympen kan verstoppen,

zijn algauw aan alle kanten gebutst en bovendien bijna vuurvast geworden, want ik kan pannen oppakken zonder me te branden en ik kan mijn vingers in een hete saus steken om de smaak te proeven zonder dat het pijn doet.

Maggie's blijkt de populairste plek van de commune te zijn. De kinderen willen het liefst pizza en kijken vaak om de hoek van de keukendeur om uit te zoeken of wij die aan het maken zijn. Hebben ze geluk, dan roepen ze 'Great, it's a pizza day!' en rennen door het hele pand om het goede nieuws aan iedereen te vertellen. Baruna en ik worden door de brutalere kinderen met allerlei verzoeken benaderd als we het menu samenstellen; liever niet zo veel tofu en als het kan vaker een toetje met aardbeien.

Elke ochtend na het ontbijt en voor het worshippen, verzamelt iedere tempel zijn mensen voor de Reminders, net als op de Ranch. Nu mag ik voor het eerst, omdat ik een van de twee koks ben, de Reminders voor de keukentempel zeggen. De vloer in de kamer naast Maggie's is nog koud als ik op mijn knieën ga zitten. Ik zit vooraan, achter mij zitten de groentesnijders en de mensen van de bakkerij en naast mij zit Baruna. Ik concentreer me op het portret van Bhagwan, vouw mijn handen samen en begin. 'Onthoud dat je werkt in een tempel en dat je werk je worship is. Wees je bewust van je omgeving en behandel anderen met respect. Doe voorzichtig met messen en hete pannen in Maggie's. Onthoud dat we wonen in een commune van Bhagwan en dat we van hem houden.'

Iedereen luistert en ik heb kennelijk de juiste dingen gezegd, want daarna doen we meteen de Gachchhami's zonder dat ik word verbeterd. Het monotone zingen ontspant me, maar ik moet zoals altijd een beetje lachen om de tekst: 'Ik ga naar de voeten van de meester.'

De enige les die ik tot nu toe volg, is *Current Affairs*, maatschappijleer. We krijgen de les van Kavita, een vrouw van ongeveer vijfenveertig met grijs haar. Er zitten alleen tieners in de groep.

In het begin is me gevraagd welke lessen ik wilde volgen. Ik kon kiezen tussen typeles, wiskunde en Engels. In wiskunde heb ik niet zo veel zin, maar typeles en Engels vind ik wel wat.

Current Affairs wordt elke week op een andere plek gegeven en soms op een ander tijdstip. De eerste les gaat over het nieuws. We hebben geen kranten en een televisie heb ik nog niet gezien. Maar tegenover de Laundry blijkt een televisieruimte te zijn. Met z'n allen zitten we voor het scherm als de nieuwsuitzending van de BBC begint. Het gaat vooral over Noord-Ierland en de overeenkomst die Groot-Brittannië met Noord-Ierland gaat tekenen. Premier Thatcher houdt een speech. Na het journaal praten we over de wereld en hoe ingewikkeld politiek is. Kavita zegt dat Bhagwan wil dat wij kinderen ons vooral richten op hoe het met ons vanbinnen gaat, en dat we zo min mogelijk onze hoofden vullen met onzin. Nou kan Noord-Ierland me niet zoveel schelen, maar ik wil wel graag weten of we zelf in het nieuws zijn en hoe het met het Wereld Natuur Fonds en met Greenpeace gaat. Maar meer komen we niet te weten, want de les is alweer voorbij.

Journal-schrijven is ook makkelijk. Elke dag moet je een halfuur de tijd nemen om in een schrift iets op te schrijven, over jezelf en over hoe het met je gaat. Het moet in het Engels en Kavita leest en corrigeert. Er zijn ook wat Engelse opdrachten, die erg eenvoudig zijn.

De eerste keren weet ik niet zo goed waar ik over moet

schrijven. Ik schrijf wat over Bhagwan en dat ik hoop dat het goed met hem gaat. Om Kavita te laten zien dat ik echt een goede sannyasin ben, teken ik er ook wat hartjes bij.

De dagen verstrijken sneller dan thuis in Leiden. Elke minuut van de dag is ingedeeld; voor alles bestaat een vaste routine. Het is dezelfde routine als in Amerika, alleen is het deze keer geen vakantie. Dit is nu mijn leven. Ik draai mee in het communeritme: kwart voor zeven opstaan, werken om acht uur, af en toe pauze, sporadisch een les volgen, vrij vanaf half acht 's avonds en om kwart voor tien slapen. Ik heb geen tijd om me te vervelen.

Op een middag open ik een pakje van mijn moeder. Het is fijn om weer Nederlands te lezen. Ik blader door de *Popfoto* en lees mijn moeders brief. Eigenlijk mag dat niet: lezen in je eigen taal. We zijn een internationale commune en moeten alles in het Engels doen.

Mijn moeder schrijft dat ze me heel erg mist, meer nog dan haar vriend, nu we niet meer bij elkaar wonen. 'Ik mis je verschrikkelijk en het voelt niet negatief. Het doet nog steeds af en toe tranen in mijn ogen springen, maar ik weet heel diep dat het erom gaat dat jij en ik allebei op de best mogelijke plek zitten.'

Ik ben hier nog geen maand, maar het voelt als jaren. Het lijkt doodnormaal dat ik pakjes krijg van mijn moeder. Ik ben aan alles gewend; de mensen, het werken, de gebouwen, de geluiden, mijn bed. De dagen zijn lang en er gebeurt op een dag zoveel en de buitenwereld is zo ver weg dat het voelt alsof ik in een snelkookpan woon; alles staat onder hoge druk. Je kunt twee dagen ergens werken, overgeplaatst worden en het gevoel hebben dat je een baan opgeeft die je een hele tijd hebt gehad.

In het pakje van mijn moeder zit ook een briefje van mijn vriendinnen van mijn oude school. Als ik lees waar zij mee bezig zijn, bekruipt me het gevoel dat mijn leven nooit meer zo eenvoudig zal zijn. Jongens, proefwerken en popidolen.

Dave is terug van zijn vakantie. Sinds ik hier ben aangekomen, hebben mensen telkens gezegd dat ik zijn vriendin moet worden. Laat ze zich met zichzelf bemoeien, ik bepaal zelf wel op wie ik verliefd moet zijn. Blijkbaar hebben ze iets tegen Dave gezegd, want de eerste keer dat ik hem tegenkom weet hij mijn naam en dat we op dezelfde kamer slapen. Hij lijkt een beetje zenuwachtig, maar is wel erg leuk. Hij trekt veel op met Saddhu, een jongen uit Californië. Volgens mij doen ze vaak dingen die niet mogen, zoals het bos in gaan. Eigenlijk heb ik helemaal geen zin om een vriend te hebben want ik heb het al druk genoeg, dus mijd ik hem een beetje.

Maar vandaag bij Current Affairs hebben we ineens een les massage geven, om te leren bij je gevoel te komen. We moeten allemaal een partner uitkiezen, op een matras gaan liggen en elkaar masseren. Alle meisjes hopen dat Dave hen uitkiest, maar hij kiest mij. Een kwartier lang masseert hij mijn nek en rug. Dan ruilen we. Hij is heel breed en hij bloost.

's Avonds in bed leest Dave in *Adrian Mole*. Het is zo grappig dat hij vaak hardop moet lachen. Divya en Prama vinden dat blijkbaar stom, want ze becommentariëren hem daarna in het Duits, dat hij gelukkig niet kan verstaan. Dave ligt precies zo in zijn bed dat hij mij kan zien en ik hem. Regelmatig kijken we naar elkaar.

We hebben met z'n vieren lol als de Local Education Authority langskomt om onze school te controleren. Het is niet toegestaan dat jongens en meisjes kamers delen, maar we zijn op de hoogte van de controle en onze kamer moet eruitzien alsof er vier meisjes slapen. We draperen onze beha's en nachtjaponnen over Daves bed en zetten nagellak en lippenstift op zijn nachtkastje. Zijn scheerspullen (al heeft hij nog niet echt een baard) verstoppen we in een van de lades onder de bedden. Het gaat goed: de raad vindt onze school vreemd, maar we houden ons aan de regels.

Wel moeten we volgens hen vaker brandoefeningen doen. Het moment van de eerst oefening komt zeer ongelegen: ik sta onder de douche en doe net shampoo in mijn haar als het alarm afgaat.

Divya en Prama lijken minder hard te werken dan ik en hangen vaak op onze kamer rond. Ze gaan ook later slapen.

Ik heb het vermoeden dat ze dan aan mijn spullen zitten want op een dag mis ik twee beha's. Ik vraag Divya of zij ze heeft gepakt, maar ze ontkent. Omdat Vimalkirti geen beha's inslaat en ik alleen nog een paarse beha over heb, besluit ik met Kavita te gaan praten.

'Oh Chandra, are you sure? Praat gewoon met haar. Ik weet zeker dat ze deze issue wel met je wil oplossen.' Maar Divya blijft ontkennen en ik krijg mijn spullen niet terug.

Op een feestje in Mandir, waar onze music group optreedt, is het overduidelijk dat Divya mijn beha aanheeft want ik herken het bandje op haar schouder. Ze bloost als ik erover begin, maar ze geeft hem niet terug. We krijgen ruzie totdat de zanger van de music group tegen ons door de microfoon zegt: 'Hey, it's a celebration.' Het is de man die op mijn stoepje zat te roken.

Het is kouder geworden en met een jas aan zit ik op het terras. Ik eet een whispa en kijk uit over het grasveld. Ineens komt de man uit de music group naast me staan. 'Great,' zegt hij, 'ik zie dat je je al wat meer ontspant. Kom je een keer naar de lounge?'

'Daar mag ik toch niet komen?' vraag ik zonder hem aan te kijken, want ik voel dat hij me aanstaart.

'Die is inderdaad voor volwassenen, maar jij lijkt me al volwassen genoeg. Als je iets groter bent, zouden wij eens met elkaar moeten slapen.' Dat gezegd hebbende slentert hij naar de andere kant van het terras.

Ik kan me niet voorstellen dat ik het goed heb verstaan. Anderzijds verbaast het me niet. De mannen in de commune kijken je aan of zeggen dat ze je leuk vinden. Er is nog een andere man, hij werkt geloof ik in Maintenance, die me regelmatig aanstaart. Een keer moet ik samen met een ma het brood uitdelen. Telkens komt de swami voor één boterham. Na de vierde keer zeg ik: 'Heb je nou nog niet genoeg brood?'

'Het gaat niet om het brood,' zegt hij. 'Het gaat om jou.'

Op een zondagochtend word ik wakker met flinke buikpijn. Ik wil niet opstaan, denk ik, als ook nog de wekker gaat. Maar ik weet dat ik moet werken. Daarom bel ik met het kantoor.

'Als je ziek bent, moet je naar Sickbay,' zegt een ma aan de andere kant van de lijn.

'Maar ik ben niet ziek, ik heb buikpijn,' zeg ik. 'Mag ik niet gewoon op mijn kamer blijven?'

'Ga toch maar naar Sickbay,' zegt ze streng.

Ik ga naar het gebouwtje waar sick bay opstaat. Bij binnenkomst kijk ik in de bruine spiegel die in de gang hangt en ik zie eruit alsof ik drie weken in Zuid-Spanje heb gezeten, poepiebruin. Ik zie er veel te gezond uit, denk ik, en stap de ziekenboeg in. Daar liggen ongeveer tien matrassen op de grond, allemaal met paarse dekbedovertrekken. Afgezien van de foto's van Bhagwan is de kamer helemaal leeg. Na ongeveer een uur in bed liggen komt een vrouw een kijkje nemen.

'Oh sweetie, are you ill? Ik zal je zo wat sapjes brengen, en heb je soms een massage nodig?'

Ik wil gewoon een dagje hangen en niet bemoederd worden door een vreemde. Ik moet denken aan de vrouw die op de Ranch ook niet in haar A-frame mocht blijven toen ze buikpijn had.

Ik laat me één dag door de ma betuttelen en ga daarna snel weer aan het werk. Ik heb geen zin in iemand die doet alsof ze mijn moeder is.

Naast het werk is het de bedoeling dat iedere tiener ook corvee doet, zoals de kleintjes naar bed brengen.

De vier- tot zesjarigen in het Subhuti-gebouw zijn het ergst. Naar bed gaan betekent keten, op stapelbedden springen, schreeuwen en, in het geval van de als onhandelbaar bekendstaande Matt, de kleintjes leren hoe je je moet aftrekken. Te pas en te onpas haalt Matt zijn broek naar beneden om zijn piemel aan iedereen te laten zien. Op een avond zwiert hij hem zelfs in mijn gezicht. Ik word ontzettend boos en dat verhoogt natuurlijk juist Matts pret. Het enige dat zou helpen is volwassenen erbij halen, maar die zitten in de bar. Bovendien laat ik me dan erg kennen.

'Zal ik het dan maar met je doen?' roep ik heel hard en

dit schijnt te werken. Matt taait af en gaat zowaar in zijn bed liggen.

Niet alle kinderen lijken zo gelukkig in Medina. Matt bijvoorbeeld probeert met zijn dwarse gedrag waarschijnlijk het gemis van zijn ouders te compenseren. Niemand die hem echt terechtwijst, niemand die hij nog toestaat hem te knuffelen of een nachtzoen te geven. De andere jochies nemen dat van hem over. Afgezien van getreiter en gesar bij het naar bed brengen, gedragen de kleintjes zich wijzer en onafhankelijker dan normaal is voor hun leeftijd. De tienermeisjes zoals ik, proberen ze te koesteren maar daar hebben ze geen behoefte aan. De kleintjes naar bed brengen is daarom een frustrerende bezigheid.

We zitten na de lunch met een paar kinderen aan tafel nog even te niksen.

'Dogedoo yougedoo ungedun-degeder-stagedand megede?' wauwelt een Engels meisje tegen me. Ze kijkt er heel serieus bij en zegt: 'Do-you-understand-me? That's Gibberish.'

'Oh, is dat Gibberish?' antwoord ik. Wat is in godsnaam Gibberish?

'Ik kan ook Pig Latin,' ratelt ze enthousiast door en daarna komen er weer onverstaanbare klanken als 'Isthis isis unchlunch' en vervolgt ze: 'This is lunch, dat is wat ik zeg. Ik kan ook Gibberish in het Pig Latin en ik kan ook ondersteboven lezen en dat uitspreken in het Pig Latin-Gibberish of juist andersom!'

'Laten we beginnen met Gibberish,' opper ik en het meisje leert me daarna de beginselen ervan. Elke lettergreep moet onderbroken worden door de lettergreep 'ged' en de klinker die in het woord voorkomt. Het lijkt moeilijk, maar in korte tijd heb ik het onder de knie en raaskallen we tegen elkaar: 'Wegede hagedave togedo worgedork', en zij: 'Igedi dogedon't wagedant togedo.'

Nee, we willen niet werken, we willen spelletjes spelen, we willen niksen en hangen en lanterfanten. En daarom lachen en stoeien we en draaien we om elkaar heen. Totdat het meisje mij plotseling in een houdgreep legt en mijn mala ineens uit elkaar spat. Alle honderdacht kralen kletteren over de stenen vloer alle kanten op.

Het is doodstil. Iedereen kijkt me aan. Dan staat een Engelse ma op en zegt: 'Je bent zo vrolijk vandaag, een en al *joy*, dat moet door de energie van Bhagwan komen! Dat je mala breekt is een teken dat hij vindt dat je ervan moet genieten.'

Nu ik moet genieten van het genieten is de lol er voor mij af. Aan mijn nek hangt mijn halve mala nog, dat wil zeggen het lijstje met de foto en een plakkend zwart touw. Bhagwan kijkt me spottend aan.

Zoals elke dag schrijf ik in het Engels in mijn journal. *Oh, Kavita, ik hou zoveel van Bhagwan. Zou het echt wel goed met hem gaan?* Kavita corrigeert mijn Engels telkens met een rode stift. *Hem, voor Bhagwan, is met hoofdletter H*, staat er de volgende dag onder.

Die week moeten we ook leren typen. In het Socrateskantoor type ik een A4 vol, gericht aan Kavita. Het is stil in het kantoor maar opeens komt leraar Premo binnen, de man van het terras die ook in de music group zit. Hij loopt naar het bureau waaraan ik zit te werken. Hij heeft lijm nodig, zegt hij. 'Dat is een goed excuus om dicht bij je mooie lichaam te komen,' voegt hij eraan toe. Ik type letterlijk wat hij zegt, aangevuld met de opmerking dat ik heel moe word van dat soort commentaar. Bij het corrigeren zegt Kavita er niets over.

Wel reageert ze op mijn klacht dat we zo weinig les krijgen en vooral geen geschiedenis of iets over Engeland en over het nieuws. *Kom maar eens langs, dan zal ik je uitleggen wat Bhagwans mening daarover is*, staat erbij geschreven. Maar ik laat het maar zitten. Ik weet het toch wel: je moet leven in het moment, bij kinderen moet je er geen kennis 'in stoppen', maar eruit halen wat er al inzit, en Medina Rajneesh School is een school zonder muren.

Aziza, de moeder van een meisje dat in Amsterdam woont, komt langs. Champa, de leidster, vertelt me dit.

'Ze komt kijken hoe het met jullie gaat. Je moeder wil natuurlijk graag weten dat het goed met je gaat.'

Ja, dat zal wel, denk ik, maar ik weet nog niet wat ik ga zeggen als Aziza er is. Vaak ben ik tevreden met mijn taak in de keuken en het leven met zo veel mensen. En ik verveel me geen moment. Maar soms mis ik de buitenwereld, mijn oude school en vriendinnen. Hard werken kan bevredigend zijn, vooral in de keuken, maar zou ik eigenlijk niet meer moeten leren? Alles wat ik tegen Aziza zeg wordt doorverteld aan mijn moeder. Het is haar droom om zo te leven, om iedere dag met mensen te zijn die net zo over de maatschappij denken als zij. Wat gebeurt er met haar als ik zeg dat ik het liefst terug wil naar Leiden? En ik weet niet eens zeker of ik dat wel wil.

Aziza's komst blijft voor velen niet onopgemerkt. Iedereen weet dat er een controle plaatsvindt. Als ze bij mij langskomt, sta ik in het afwashok.

'Nou je hebt het wel goed hier zo te zien,' zegt ze.

Ik knik maar en houd verder mijn mond omdat ik verbaasd ben over de blije uitdrukking op haar gezicht. Ik heb zelden iemand gezien die zo kan stralen. Bovendien worstel ik met enorme pannen.

'Je hebt al je make-up afgezworen, hoorde ik. Dat had je moeder al voorspeld. Je geniet zeker wel van al die kinderen hier? Zijn ze niet fantastisch?'

Ik twijfel of ik moet zeggen dat de werkdagen hier zo lang zijn. Maar dan zegt ze: 'Nou, ik zal tegen Rupi zeggen dat je het hier far out hebt!' en ze loopt verder.

De volgende dag is Aziza alweer weg. Ik heb haar niet meer gezien. Vermoedelijk zat ze 's avonds in de lounge. Als mijn moeder net zo blij is als Aziza, is het maar goed dat ik niet heb verteld hoe eenzaam ik af en toe ben. Het is ook niet de bedoeling dat je ergens ontevreden over bent. Verdriet hebben of even boos zijn mag wel als je naderhand maar weet waarom. Want uiteindelijk moet je houding positief zijn. Negatief zijn zonder oorzaak kan eigenlijk niet.

Er is wel eens verteld dat om die reden sommige mensen de commune zijn uitgestuurd. De negativiteit was slecht voor de commune, voor het gezamenlijke doel. Het schiet natuurlijk ook niet op als iedereen loopt te klagen, dat werkt niet. Als je er zeker van wilt zijn dat je gewaardeerd wordt als communelid en als sannyasin, kun je maar het beste laten zien hoe positief je tegenover de commune staat.

Het is nogal rumoerig op school want vandaag moet iedereen een aidstest doen. Tussen tien en twaalf uur moet ik me melden in Mandir. De meeste kinderen zijn bang om bloed af te geven maar ze vrezen vooral de dodelijke ziekte te hebben. Van de Ranch kwam laatst het bericht dat twee mensen, een man en een vrouw, met aids besmet zijn. We moeten nu extra voorzichtig zijn. Naast oppassen met het likken aan postzegels moeten we er nu ook op letten dat we niet door muggen worden gestoken en niet in aanraking komen met speeksel of nagels van huisdieren, zoals katten. Bhagwan heeft in reactie op de besmetting gezegd dat aids een plaag is die de mensheid gezonden is, vergelijkbaar met de pest. Het lijkt echt wel het einde van de wereld.

De tieners moeten helpen zodat ieder kind een prik krijgt en alles rustig verloopt. Maar in Mandir heeft de paniek toegeslagen. Verschillende kinderen huilen van angst en roepen om hun moeders, die er niet zijn. Ik neem kinderen op schoot, troost ze en leid ze af wanneer het buisje bloed wordt afgenomen.

Ikzelf moet ook een test doen en kan niet toegeven aan mijn angst, omdat de kleintjes erbij zijn. Ik ben als de dood dat ik aids heb gekregen door het eten bij mijn vader of een afgebeten stuk trekdrop op school. Het zou betekenen dat ik de commune uit zou moeten en ergens in afzondering zou moeten wonen. Ik zou dan waarschijnlijk al voor mijn achttiende dood zijn.

Op de uitslag van de test moet je een tijdje wachten. Aan het eind van de dag is iedereen moe. Ik vraag me af of mijn moeder al een test heeft gedaan in Amsterdam.

Er worden gesprekken gevoerd waardoor ik zeker weet dat ik een echt communekind ben en dat het ons gaat lukken om beter te zijn dan de rest van de wereld. Dan voel ik me thuis. Vooral in de keuken wordt wat afgekletst.

'Er is zo veel onbewustheid. Kun je nagaan wat er met de wereld zou gebeuren als iederéén zou mediteren. Zou dat niet *far out* zijn?' zegt een jongen met dreadlocks. Het gaat in de keuken over de wereldpolitiek.

'Dat zou geweldig zijn, als iedereen zijn eigen shit eens zou opruimen,' antwoordt een Italiaan die peultjes wast in de gootsteen. 'Moeder Teresa die eindelijk eens aan zichzelf gaat denken! Of Thatcher die samen met Reagan de dynamic-meditatie doet!'

Het lijkt me geen slecht idee. Wat wij hier doen is het mooiste wat er is. Wij zijn de besten. Alles is leven, liefde, lachen, precies zoals Bhagwan zegt. Je mag helemaal jezelf zijn. En dan is alles goed. Je moet wel hard werken, maar als je daar een meditatie van maakt kun je er gewoon van genieten.

Het is maar goed ook dat we op deze plek wonen, want je zult zien dat wanneer Bhagwans voorspellingen uitkomen er van de buitenwereld niets overblijft. Ik heb medelijden met mijn vader en oma en alle vrienden van mijn oude school, want die hebben allemaal niet geleerd te mediteren en zullen daarom de Derde Wereldoorlog niet overleven. Ze krijgen trouwens sowieso aids.

Ik moet vaak denken aan 'Imagine' van John Lennon: wat als er geen enkele religie zou bestaan, niemand iets bezit en er geen landsgrenzen zouden zijn. Als je het goed bekijkt zijn Rajneeshpuram en de andere communes precies wat John Lennon bedoelt: er heerst vrede en rust, iedereen leeft samen en allemaal leven we voor vandaag, voor het moment. Als iedereen zou doen wat wij doen, zou de droom van Bhagwan, mijn moeder en die van John Lennon misschien wel uitkomen.

Maar het gesprek in de keuken en mijn gedachten over onze toekomst worden wreed verstoord. Er gebeurt iets wat ik niet voor mogelijk had gehouden.

'Sheela is weg!' roept iemand. De keuken is in rep en roer, sudderende pannen worden achtergelaten en mensen rennen de gang op. Ik trek snel mijn handschoenen uit en ga hen achterna. De gang stroomt vol. Iedereen verzamelt zich bij het prikbord waar berichten over de Ranch hangen. Na wat trekken en duwen kan ik ook lezen wat er staat: Sheela is samen met de burgemeester van de Ranch, directeuren van een aantal internationale organisaties van Rajneeshpuram en een aantal vaste medewerkers vertrokken. Ze zouden in een vliegtuig zijn gestapt en veel geld hebben meegenomen.

Vol ongeloof kijken we telkens opnieuw naar het bericht. Hoe kan dat gebeuren? Wat is dit voor een bericht? Is het waar, en zo ja, hoe moet het verder met ons? Sheela was jarenlang degene die Bhagwan beschermde, zijn persoonlijke secretaresse. Bhagwan vertrouwde haar, wij vertrouwden haar allemaal. Hoe kan zij nou ineens weg zijn?

Om me heen hoor ik al deze vragen, maar niemand heeft een antwoord. We zijn als een bijenkorf zonder koningin, we krioelen om elkaar heen en praten en huilen – iedereen is onrustig. Dit bericht kunnen we niet wegwuiven zoals we vaker hebben gedaan als Bhagwan gekke dingen zegt.

Ik moet eigenlijk terug naar de pannen op het fornuis en de salade maar ik wil naar buiten, weg van deze werkelijkheid en van al deze emotionele mensen. Buiten, op het grasveld, kijk ik naar de bomen en wens dat het bericht niet waar is. Dat iemand voor de grap een telex naar ons heeft gestuurd. Dat het allemaal voor de lol is of dat Bhagwan zelf een grap heeft uitgehaald. Ja, dat laatste zal het zijn, het kan niet anders.

Maar als ik tien minuten later weer naar binnen ga, is de chaos compleet. Sikta en Champa hebben met de Ranch gebeld en alles blijkt waar te zijn. De komende uren zullen we meer horen over de precieze toedracht van de gebeurtenissen.

In afwachting van meer nieuws gaan de meeste mensen langzaamaan weer aan het werk. Ik ga terug naar de keuken waar we elkaar omarmen, huilen en praten. De bak salade staat er nog en ik doe mijn handschoenen weer aan. Zolang er gegeten moet worden, heb ik nog wat te doen, maar ik vraag me ten zeerste af of we als groep nog bestaan.

Die avond lijken we een druk kantoor, een uiteenvallende familie en een exploderende snelkookpan ineen. Als er ooit sprake was van saamhorigheid is het nu, maar tegelijkertijd bestaan we meer dan ooit uit individuen. Iedereen wil voor zichzelf de balans opmaken. Wat is er precies aan de hand in Amerika en wat betekent dat voor ons?

De volwassenen zitten in de lounge en de kleine kinderen rennen als gekken rond. Sommigen weten nauwelijks wie Sheela is. De tieners vertellen elkaar verhalen over de indruk die ze van Sheela hebben. Zij was de leider ten tijde van Bhagwans stilzwijgen.

Maar omdat niemand nog weet wat er precies gaande is, wachten de meeste sannyasins met het trekken van conclusies tot na de communemeeting. Zo'n communemeeting heb ik nog nooit meegemaakt, althans niet sinds mijn verblijf in de commune.

Met z'n allen gaan we naar de meditatiehal Mandir. Eerst moeten we naar muziek luisteren. Sommige volwassenen en tieners mediteren, maar natuurlijk wil iedereen nu precies weten wat er aan de hand is.

Champa en Sikta komen binnenlopen met papieren in hun handen en nemen achter de microfoons op het podium plaats. Champa vertelt. Het is muisstil.

'Met Bhagwan gaat het goed. Ik neem aan dat jullie dat allemaal eerst willen weten,' zegt ze. Er wordt gejuicht en geklapt. Vooral de volwassenen reageren opgelucht. Daarna vertelt Champa over wat Bhagwan gezegd heeft tijdens zijn laatste lezing op de Ranch. Volgens Bhagwan was er sprake van een machtsstrijd tussen Sheela en hem. Hij kwam erachter dat Sheela en haar handlangers hem bepaalde dingen niet hadden verteld. Alle zakelijke en praktische beslissingen liepen via haar, omdat Bhagwan ruim drie jaar niet had gesproken en hij zich in die periode ook niet bemoeide met geld of papieren.

Volgens Bhagwan zouden Sheela en haar volgelingen hebben geprobeerd hem voorgoed het zwijgen op te leggen. Ze zouden vijfentwintig miljoen dollar hebben verduisterd en andere sannyasins hebben willen vermoorden. Omdat Bhagwan Sheela nu als crimineel beschouwt, heeft hij Interpol en de Amerikaanse politie gewaarschuwd.

'Daarna heeft hij lang gepraat over macht en over hoe ver men kan gaan om de macht te behouden,' zegt Champa. 'De video waarop de lezing is opgenomen, is onderweg vanuit Amerika. Die kunnen we over een paar dagen zien. Bhagwan praat nu heel veel. Op de Ranch is een zuiveringsproces ontstaan, waarbij het werk van andere naaste medewerkers van Sheela onder de loep wordt genomen.'

Met deze woorden besluiten Champa en Sikta de communemeeting. We staan allemaal op en lopen richting de Main House. De stemming is bedrukt. Ik weet het niet zeker, maar het lijkt of de volwassenen bang zijn. Ze verdwijnen dan ook weer naar de lounge om met elkaar te praten. De rest moet de dagelijkse routine zien op te pakken. Eerst probeer ik nog bij een telefoon te komen om mijn moeder te bellen maar alle toestellen zijn bezet. Omdat ik morgen een early shift heb en om half zes het ontbijt moet maken, besluit ik naar bed te gaan.

Op mijn kamer praat ik niet met de anderen, maar ik ga meteen in bed liggen en denk lang na over de vreemde gebeurtenissen. Het lijkt wel een film. Hoe kan iemand nou proberen Bhagwan te vermoorden? Hij is totaal onschuldig, zegt iedereen, en ik geloof dat ook. Hij kan er weinig aan doen dat hij het zo druk heeft, dat hij zijn eigen papieren niet beheert. Al die jaren had hij niet eens zijn eigen paspoort bij zich, of zijn bankrekeningnummer. Sheela regelde dat allemaal, zodat hij zich op de belangrijke zaken kon richten, zoals zijn nieuwe serie lezingen genaamd *The Rajneesh Bible*. Hij was toch ook Sheela's spirituele leraar en hij moest erop kunnen rekenen dat zij voor hem zorgde! Nu ze hem heeft voorgelogen en geld heeft gestolen, vind ik het goed dat Bhagwan de politie achter haar aan stuurt en dat ze misschien opgepakt wordt.

Over een aantal dingen durf ik niet na te denken. Misschien valt alles wel uit elkaar, wordt de droom een nachtmerrie. Maar ik ban deze gedachten meteen uit mijn hoofd. We zijn De Nieuwe Mens en onze groep zal niet uit elkaar vallen! Als er mensen zijn die dit soort dingen aankunnen, zijn wij het wel. Bhagwan is sterk, dat geloof ik, en hij heeft Sheela ontmaskerd. De politie zal haar oppakken. Van nu af aan gaat het weer goed. Ik moet stoppen met nadenken en in het hier en nu zijn en dan slapen, vertel ik mezelf.

Datum onbekend. Poona, India – Bhagwan Shree
Rajneesh

1978. India – markt in Poona

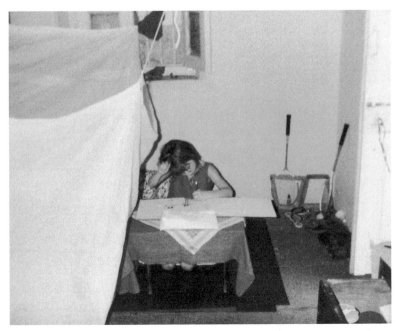

1978. Poona, India – tekenen in The Grand Hotel

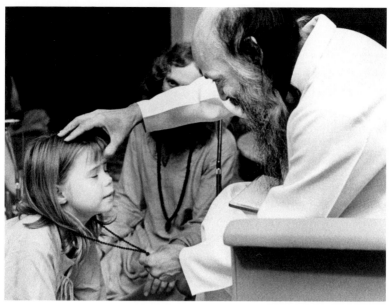

1978. Poona, India – Maroesja krijgt de naam Ma Prem Chandra

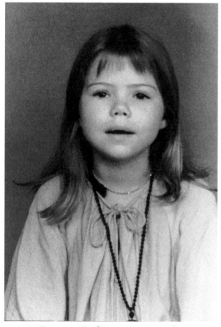

1978. Poona, India – een van de eerste
foto's met kindermala

Datum onbekend. Poona, India – sannyasins in afwachting van
Bhagwan

1979. Frankrijk – in een nieuw
T-shirt met een afbeelding van
Bhagwan aan het kamperen

1980. Den Haag – kerstmis bij
oma

1981. Redmont Airport, Oregon, Amerika – Bhagwan
komt met zijn vriendin Vivek aan in Oregon

1981. De Ranch, Oregon – Bhagwan met Sheela in een
Rolls Royce

1983. De Ranch, Oregon – Drive-by

1984. De Ranch, Oregon – aan het werk in de keuken

1984. De Ranch, Oregon – A-frames op de heuvels

1984. De Ranch, Oregon – sannyasins op weg naar een celebration

Ma Anand Sheela
D.Litt.M. (RIMU), Acharya

Personal Secretary to Bhagwan Shree Rajneesh

July 28, 1984
900:n

Ma Prem Chandra
Kraaierstraat 38
Leiden
NETHERLANDS

Beloved Chandra,

Love.

We received the beautiful drawing you sent
to Bhagwan and send you His blessings.

"God has loved you so much that He has created
this world for you to play with, to dance with.
It is a celebration."

His blessings,

Ma Anand Sheela

Jesus Grove, Rajneeshpuram, Oregon 97741 USA • (503) 489-3301

1984 – persoonlijke brief van Sheela

De volgende ochtend sleep ik me naar Magdalena. Over anderhalf uur moet het ontbijt klaarstaan, maar in de keuken is het nog donker. Pradeesh, met wie ik vandaag moet samenwerken, is er nog niet. Als ik hem opbel, maak ik hem wakker.

'Pradeesh, het is al kwart voor zes, je moet opstaan.'

Aan de andere kant hoor ik een schorre stem. Pradeesh zegt dat hij eraan komt.

Ik begin met het opzetten van de pannen water voor de eieren. Er moeten zeventig hardgekookte en zeventig zachtgekookte eieren worden gemaakt, en ook nog scrambled eggs. Het duurt een halfuur voordat het water kookt.

Pas als ik Pradeesh nog een keer bel, komt hij naar beneden. Samen halen we de eieren uit de kelder. De kelder is de engste plek van het hele communegebouw. Het plafond is er laag en er zijn veel nauwe gangen. Ik durf er niet alleen in. Pradeesh en ik dragen ieder drie plateaus met elk dertig eieren de wenteltrap op. Maar dan struikel ik en zeker zestig eieren vallen op de treden. Ik zit van top tot teen onder de struif. Pas tegen lunchtijd hebben we de boel helemaal opgeruimd.

Die middag kan ik eindelijk mijn moeder bellen. Ze sliep nog want ze had tot heel laat in de disco gewerkt, maar ze hebben haar opgeroepen via de intercom. Het is fijn om haar te spreken. Ik vertel haar van de eieren, waar we ondanks alles om kunnen lachen. Mijn moeder vindt het ongelooflijk wat ik allemaal doe in de keuken.

'Knap hoor, dat heb je niet van mij geleerd.'

En natuurlijk hebben we het over de laatste ontwikkelingen op de Ranch. Volgens haar is er meer nieuws over het Sheela-schandaal. Iedereen heeft het erover: Bhagwan heeft een grote persconferentie gegeven waarin hij zei dat Sheela van de Ranch een 'fascistisch concentratiekamp' wilde maken. Bhagwans woonkamer en slaapkamer zaten vol afluisterapparatuur. De geluidsbanden die Sheela had opgenomen, zijn allemaal weg. Ook heeft ze geprobeerd Bhagwans arts, tandarts en lijfwacht met een langzaam werkend gif ziek te maken of te doden.

'Het is me wat,' zegt mijn moeder. 'Ik weet nog niet wat het allemaal met me doet. Het lijkt wel of er overal ineens informatie loskomt terwijl iedereen eerst zijn mond dichthield. Zelfs hier in Amsterdam was er sprake van censuur. Ik zal je een paar krantenberichten sturen. We zijn ook al op het NOS *journaal* geweest. Hoe is het met jou?'

Ik vertel haar hoe de afgelopen dagen zijn geweest, dat het hier rommelig is en dat iedereen probeert zijn dagelijkse werk te hervatten. Ik zeg haar niet dat ik slecht slaap en dat ik me zorgen maak om haar. En om alles.

Dan komt er iemand van de leiding het kantoor binnen.

'Je weet dat je eigenlijk in het Engels moet praten, hè,' zegt de vrouw vermanend tegen me. 'We zijn een internationale commune.'

Ik schakel over op het Engels, maar dat klinkt raar. Ik spreek altijd Nederlands met mijn moeder.

'Dat hoef je toch helemaal niet te doen, lieve schat,' zegt mijn moeder door de telefoon. 'Praat gewoon Nederlands, en als ze het niet goedvinden, dan arresteren ze je maar.'

Maar ik hang toch snel op. Ik weet niet of ze me kunnen arresteren, maar ik neem het risico liever niet.

De volgende dag moet Baruna naar de markt om inkopen te doen. Omdat ik sinds mijn aankomst een maand geleden nog niet van het communeterrein af ben geweest, vraag ik of ik mee mag. Ik weet het adres van de commune, maar ik heb geen idee waar in Engeland ik me eigenlijk bevind. Ze twijfelt omdat er dan een persoon minder in de keuken is, maar ik mag uiteindelijk mee.

Voor het eerst sinds lange tijd kom ik weer in de buitenwereld. We zitten in een busje omdat we voor een hele week voorraden moeten kopen. De commune is gevestigd op het platteland en daarom duurt het even voordat we in de bewoonde wereld zijn. Als we bij een stadje zijn, is het net of ik eindelijk kan ademen. Ik zie nieuwe gezichten en ik hoor andere geluiden. Er lopen Engelse huisvrouwen over straat en er spelen Engelse kinderen. Ze kijken allemaal naar ons want ze vinden ons natuurlijk gek.

We kopen op de markt kilo's zout, liters mayonaise en grote hoeveelheden rijst en zakken vol zaden voor de muesli. Het is leuk om veel eten tegelijk te kopen. De mensen op de markt zijn aardig en kennen Baruna een beetje. Als we klaar zijn met de voorraden zegt Baruna dat er best nog wat tijd is om te winkelen.

'Soms moet je even onder die kaasstolp vandaan,' zegt ze. Ik heb gelukkig wat van het geld meegenomen dat mijn moeder me gaf. In een winkel zie ik een trui, gebreid van zwarte en donkerpaarse wol.

'Mag dat wel?' vraag ik aan Baruna. 'Er zit zwart in.' Van Baruna mag het en de trui is mijn eerste aankoop in het buitenland zonder mijn moeder erbij.

Op de terugweg vertelt Baruna dat de shifts gaan wijzigen. Enkele mensen willen naar andere communes om met hun vrienden te praten over het Sheela-schandaal. Dit betekent dat ik vaker de vroege én late shifts moet doen en soms de telefonische bestellingen op me moet nemen. Verder praten we over hoe het eraan toegaat in de keuken. Ik vertel haar dat mensen die roken het maar makkelijk hebben omdat zij steeds naar buiten kunnen voor een sigaret en dat ik eigenlijk harder werk dan zij. Ik vertel haar ook dat het soms misgaat met opdrachten geven. Als zij me opdraagt alles voor te bereiden voor de salades en de soep, zegt iemand anders juist dat het belangrijker is dat er brood wordt gebakken. En dan raak ik in de war, want naar wie moet ik dan luisteren? Baruna zegt dat ik altijd naar haar moet luisteren.

Terug in Medina is er weer nieuws binnengekomen via de telex. Sheela is in Zwitserland gesignaleerd. Ze heeft geprobeerd met haar vrienden een commune in Duitsland en Zwitserland binnen te komen, maar de sannyasins daar stuurden haar weg. De politie staat machteloos omdat Zwitserland geen uitleveringsverdrag heeft met Amerika.

In Sheela's huis op de Ranch is een laboratorium gevonden met witte muizen waarop gif is getest, en in haar kast stonden boeken voor het plegen van moord: *Methodes voor het doden van mensen*, delen 4, 5 en 6 en een handboek voor het maken van explosieven. Er zijn ook twee geheime kamers ontdekt met een tunnel die uitkomt buiten het terrein van de Ranch.

Het lijkt erop dat deze crisis voorlopig niet voorbij is. Er komen video's binnen maar die worden pas na bedtijd vertoond. De Amerikaanse *Rajneesh Times*, waar het hele verhaal in staat, komt pas over een tijdje.

Ik vraag me af wat de Nederlandse kranten schrijven. Iedereen zal het intussen wel weten, want Bhagwan houdt voortdurend persconferenties. Ik word doodmoe van deze situatie. Hoe lang gaat dit nog duren? We zijn er dag en nacht mee bezig. Ik kan aan niets anders meer denken. Mijn eerste dagen in Medina lijken achteraf rustig en gemakkelijk te zijn geweest.

Bovendien hebben we er nog een probleem bij gekregen: conjunctivitis. Het is een zeer besmettelijke oogontsteking. Volgens onze sannyasin-huisarts hebben zeker tien kinderen ontstoken ogen en om te voorkomen dat iedereen die krijgt, moeten die kinderen in quarantaine. Een van de lokalen boven is ingericht als tijdelijk ziekenverblijf. Ook dit nieuws gaat als een lopend vuurtje door de commune en al snel zijn alle kinderen een beetje in paniek. Bovendien wordt vandaag de uitslag van de aidstesten bekendgemaakt. Ik heb er niet meer aan gedacht. Gelukkig maar, anders was deze week ondraaglijk geweest. Ik verwacht een lijst met namen op de gang met wie wel en wie geen aids heeft. Maar niets van dat alles. Iemand gaat alle tempels af met het goede nieuws dat niemand van ons aids blijkt te hebben. Baruna en ik verzinnen snel een leuk toetje om dat te vieren.

De dagen vliegen voorbij. Om de gaten in de keukenbezetting op te vangen varieert mijn shift van vroeg, van half zes in de ochtend tot half zes in de namiddag, tot laat, van half elf 's ochtends tot half elf 's avonds en soms lastige combinaties ervan. Een paar dagen werk ik van half zes 's ochtends tot half elf 's avonds omdat ik eigenlijk twee shifts moet doen. Het kan niet anders, zegt Baruna. Als ik het niet doe, is er niemand anders. Pradeesh heeft het ook drukker dan gewoonlijk. Vaak moet hij nachtdiensten draaien in de laundry.

Het schoolwerk zoals Journal-schrijven schiet er een beetje bij in. Kavita snapt het en bovendien vindt ze mijn Engels heel goed. Mijn uitspraak en vocabulaire zijn inderdaad verbeterd en ik droom en denk zelfs in het Engels. Ik vang dan ook het leeuwendeel van de gesprekken om me heen op. De volwassenen praten soms voorzichtig om de kleinere kinderen niet al te onzeker te maken over de toestand waarin we verkeren, maar de tieners sparen ze niet. Met wat oudere meisjes bespreek ik wat we horen.

Veel mensen zeggen dat alles nu beter wordt. Dat de regels die op de Ranch werden toegepast, zoals dat je op bepaalde plekken niet mocht komen, misschien niet meer gelden, omdat Sheela weg is. Anderen denken dat er op de Ranch enorme financiële problemen zijn en dit wel eens het einde kan betekenen van alle internationale communes. Sommigen vermoeden dat Bhagwan ervan heeft geweten of er zelfs aan heeft meegewerkt, bijvoorbeeld om ons te leren wat fascisme is. Het lijkt me een wrange les.

De meisjes met wie ik praat willen net als ik dat de stroom nieuws van de Ranch ophoudt. We zijn doodop. De hele dag werken, al die verhalen, onze moeders niet in de buurt, zorgen voor de kleintjes, het is te veel. Het onderwerp verschuift dan ook naar de swami's – vrijwel iedereen heeft een vriendje of is verliefd op iemand. Eén meisje raadt me aan naar bed te gaan met de man uit de music group. Zij heeft het ook gedaan.

'Hij smeert je van top tot teen in met massageolie. Echt, dat moet je meemaken,' zegt ze.

Ik heb weer een late dienst, vlak na twee dagen vroege dienst. Ik zie scheel van vermoeidheid, omdat ik gisteren ook al laat naar bed ben gegaan. We doen steeds vaker dingen stiekem, zoals bellen naar het buitenland. Met een paar anderen ga ik naar de zolder in een van de bijgebouwtjes. Saddhu heeft daar een telefoon ontdekt die in een hoek staat, maar die het wel doet. Iedereen die een telefoonnummer weet, mag bellen. Hijzelf belt lang met de Ranch, waar je nu makkelijker dan voorheen de juiste mensen aan de telefoon kunt krijgen. Van een aantal kinderen hier wonen de ouders op de Ranch, maar ze weten geen telefoonnummers uit hun hoofd om ze te kunnen bereiken. Als de groep gaat roken in het bos, ga ik naar mijn kamer.

Vandaag is er post uit Nederland gekomen. Mijn vader heeft me de *Popfoto* gestuurd en allemaal krantenberichtjes. 'Bhagwan zet aantal leiders commune Oregon uit,' kopt *de Volkskrant*. En in *De Telegraaf* staat 'Heibel in Bhagwan-circus.' Ik kan er dus van uitgaan dat iedereen op de hoogte is. Ik schaam me een beetje, want in een van de artikelen staat ook dat niet de 'boze buitenwereld een bedreiging vormt, maar juist krachten van binnenuit'. Nu denkt men misschien dat we een sekte zijn, terwijl we juist niet als kippen zonder kop achter een leider aanlopen. Bhagwan probeert ons dat ook te leren. Hij zegt wel: 'Ik ben de poort,' maar verder moet je het zelf doen. We moeten allemaal zelf verlicht worden, dat kan hij niet voor ons doen.

Mijn vader schrijft dat hij bezorgd is. Ik moet volgens hem mijn gezonde verstand gebruiken, ook als het over Bhagwan gaat. Verder vraagt mijn vaders vrouw zich af of ik weleens naar de film mag en of ik ook eens niks mag doen, met mijn voeten op tafel. Nee, kon dat maar eens! Maar als ik ze schrijf heb ik geen zin om te zeuren. Mijn vader reageert dan ook als volgt: 'Je zegt wel dat je het daar leuk vindt, maar je hoeft je nooit te schamen of bang te zijn te zeggen wat je er écht van vindt.' Maar wat als ze hier mijn brieven lezen? Ik kan ze niet zelf op de post doen want er is geen brievenbus in de buurt. De post gaat allemaal via het kantoor. Het is al eng genoeg een brief in het Nederlands te schrijven.

Mijn oma schrijft ook brieven, waarin ze vraagt op welk tijdstip ze me het beste kan bellen. Maar dat weet ik ook niet. Met mijn variërende diensten is er geen peil op te trekken.

De nieuwe woordvoerder van Bhagwan heet Hasya. Ze vertelt dat Bhagwan heeft gezegd dat met het vertrek van Sheela, Adolf Hitler opnieuw is gestorven. Ook onthulde Bhagwan dat duizenden zwervers die in 1984 door Sheela waren uitgenodigd om een tijdje op de Ranch te verblijven, alleen maar welkom waren omdat zij hoopte meer stemmen te verkrijgen bij de plaatselijke verkiezingen. Na de verkiezingen zijn de zwervers midden in de winter zonder eten de Ranch weer uitgezet!

Eveneens werd bekendgemaakt dat een countryband een liefdadigheidsnummer heeft uitgebracht met de titel 'Shut up Sheela'. Eerst werd er geen ruchtbaarheid aan het nummer gegeven, maar nu mag iedereen weten dat Sheela in heel Orgeon werd gehaat omdat ze obscene taal gebruikte, arrogant was en met haar pistool liep te zwaaien. Na al die onthullingen haat ik haar ook.

Er verschijnen versies van de *Rajneesh Times* waarin wordt gereageerd op de gebeurtenissen. Volgens velen zijn de thema's waar we nu over na moeten denken: vertrouwen, overgave, gehoorzaamheid en zelfcensuur. Men denkt dat Sheela al haar criminele activiteiten nooit had kunnen ontplooien als er niet veel sannyasins een oogje hadden dichtgeknepen. Ondertussen vraagt niemand aan ons, de tieners en kinderen, wat wij ervan denken, terwijl het voor ons misschien wel het ingewikkeldst is.

Wel hebben we met de ploeg van Magdalena een meeting over het Sheela-debacle, maar daarin wordt ons alleen gezegd dat we in de war zijn en dat dit onze worship beïnvloedt. Ik kan niet goed meepraten, omdat ik de notulen moet schrijven. Iedereen is onzeker over de toekomst. Eén ma zegt dat ze niet weet wat ze nu van Bhagwan moet denken. De anderen zeggen meteen dat ze niet aan hem moet twijfelen, eerder aan zichzelf. Verschillende mensen huilen en zeggen dat ze zich schuldig voelen omdat ze soms het vermoeden hadden dat er iets niet in de haak was, maar daar niets mee hebben gedaan. Aan het eind van de meeting is er een *group hug* en besluiten we allemaal met extra aandacht onze worship te hervatten. Ik neem me voor te stoppen er de hele tijd over na te denken, maar dat is behoorlijk moeilijk als er telkens nieuwe telexen op de muur hangen.

De dagen na de meeting gaat het beter in de keuken. We reageren de dingen wat minder op elkaar af en het is wat rustiger geworden.

Gelukkig is er soms ook ander nieuws; de commune in Amsterdam is nog steeds hard bezig met het zoeken van een plek waar de Medina Rajneesh School naartoe zou kunnen verhuizen. De school komt misschien naar Vaals. We zullen hier nog maar een paar maanden blijven, want Nederland is de beste plek om een school te vestigen omdat daar de regels voor een nieuwe onderwijsinstelling het soepelst zijn.

De omgeving van Medina is ontzettend mooi. De herfst is ingetreden en de bladeren aan de bomen hebben prachtige rode en oranje kleuren. Ik zou graag naar buiten gaan om een boswandeling te maken en kastanjes te zoeken. Ik ben eigenlijk alleen buiten tijdens de theepauze op het terras of als ik van Alan Watts naar de Main House loop. Dan zie ik de paden en het grasveld. Maar als je een commune draaiend wilt houden, is het zaak dat iedereen zich aan de worship houdt. Soms ga ik even op het dak zitten, maar daarvoor is nu te koud. Bovendien is die plek inmiddels door zovelen ontdekt dat je er nooit alleen kunt zitten. Ik word er soms gek van dat er overal zoveel mensen zijn. Als ik aan ons huis in Leiden denk en aan de rust op mijn kamer, gewoon een beetje kunnen rommelen in je eigen spullen, iets wat hier ook niet kan want ik heb geen persoonlijke eigendommen, verlang ik erg naar thuis. Dat je op bed kunt liggen terwijl je naar *De Avondspits* of *De Top 40* luistert of dat je midden op de dag even een ei kunt bakken en een geroosterde boterham met pindakaas maakt, gewoon voor jezelf, in plaats van tien vierkante meter pizza voor honderden tegelijk. Of een avond televisiekijken en theedrinken met je moeder in plaats van met vijftig anderen in een kantine. En natuurlijk mis ik het knuffelen met Snuffie en met de katten bij mijn vader.

Het meeste mis ik nog mijn schoolvriendinnen. Catharina en Marieke hebben me een kaart gestuurd om me te feliciteren met mijn veertiende verjaardag, maar dat is pas eind november, over iets minder dan twee maanden. Het is heel leuk om de kaart te bekijken omdat ze al onze klasgenoten hebben gevraagd hun naam erop te zetten.

Er staan wel dertig namen op. Iedereen stuurt liefs, zelfs 'Blauwtje', de jongen met een blauwe jas, uit de vierde, die ik leuk vond maar die mij niet zag staan omdat ik in de eerste zat.

Ik zet de kaart naast mijn bed en denk na over Blauwtje. Dat leeftijd een reden is om niet met elkaar om te gaan is hier onwaarschijnlijk. Een enkele tiener heeft verkering met een leeftijdsgenoot, maar de meeste meisjes hebben sjans van volwassen mannen en vinden de jongens van hun leeftijd oninteressant. Ze zoeken het niet zelf op, het gaat allemaal vanzelf, omdat de mannen zo zijn. Hier zeggen mannen gewoon wat ze van je vinden, of je nu elf bent of bijna veertien. Ik vind het ook wel een compliment als mannen steeds naar me kijken. Ik voel me dan een echte vrouw, en dat is niet het geval als pukkelige jongens van veertien me aanstaren. Maar meteen met een man naar bed gaan omdat hij zo veel massageolie gebruikt, vind ik overdreven. Ook al is hij nog zo aardig. Ik denk dat je beter kunt wachten op een leuke jongen als je zeventien bent.

Iedereen denkt dat Dave en ik zo goed bij elkaar passen, maar hij doet er niets aan om verkering met mij te krijgen. Als we elkaar zien is het in onze kamer, na onze worship, als hij *Adrian Mole* leest, ik in mijn dagboek schrijf en naar mijn walkman luister terwijl Divya en Prama honderduit kletsen. We kijken wel naar elkaar maar er gebeurt verder niets.

Er hangt opnieuw een telex uit de Ranch op de gang. Ik schrik me een ongeluk. Bhagwan heeft het rajneeshisme doodverklaard. Vanaf nu zijn we geen Rajneeshies meer, zoals Sheela ons noemde, want Bhagwan wil dat we onszelf zijn, volledig vrije individuen. Hij wil geen overgave en geloof van ons vragen. We hoeven de Gachchahmi's niet meer te doen.

Sheela's huis, dat eerst Jesus Grove heette, wordt nu Sanai Grove genoemd en al haar regels worden afgezworen. Dat betekent dat we ook niet langer altijd positief hoeven te zijn.

De grootste verandering die Bhagwan doorvoert gaat over onze kleren. Vanaf vandaag zijn we vrij om alle kleuren te dragen! Deze boodschap moet de hele wereld worden ingestuurd, zodat die alle communes bereikt. Bhagwan zegt dat hij ervan droomt om ons in alle kleuren van de regenboog te zien.

Ik snap er niks van, hoe gaan mensen ons dan herkennen als sannyasins? Wat is er gebeurd met 'de kleur van de dageraad', die alle monniken ter wereld dragen? En, hóé gaan we dit doen? Niemand heeft kleren in een andere kleur dan rood. Op de gang bij het prikbord kijken we onwillekeurig naar wat we dragen. Onze kleding bestaat uit rode, roze, oranje en paarse kleuren, tot onze sjaaltjes, polsbandjes, riemen, sokken en schoenen aan toe. Dit gaat nooit lukken. Is Bhagwan gek geworden? Als we niet herkenbaar meer zijn, dan weet de wereld ook niet met hoevelen we zijn. Bhagwan heeft makkelijk praten met zijn jurken. Hij trekt één ding aan en is klaar.

Er zijn nog veel meer berichten maar ik kan die nog niet in me opnemen. Vanaf mijn zesde ben ik sannyasin en was het gewenst dat ik geen andere kleur droeg dan rood. Als er iets in de mode was, zoals ophaalrokken of laarsjes, dan droeg ik die ook maar dan in het rood of oranje. Net zoals mijn moeder, die niet van mode houdt maar die zelfs haar spijkerbroeken rood verfde. De geverfde kleren werden er niet mooier op, maar dan hoorde je wel bij de echte sannyasins.

Als er één dag is waarop iedereen uit balans is en onze energie alle kanten opgaat, is het wel vandaag. De kinderen zijn huilerig, de tieners zijn rebels, de volwassenen stoppen met werken, alles loopt in het honderd. Maar er moet wel gegeten worden, en daarom werken we in de keuken gewoon door. Pradeesh komt gelukkig helpen. We kijken elkaar aan: Bhagwan is gek, Sheela is een crimineel, de rode kleren zijn verleden tijd, de volwassenen spijbelen. Wij tieners hebben alleen elkaar nog. Uit protest zetten we de radio de hele middag hard aan terwijl we lasagne maken.

Niet alleen mijn hoofd klapt uit elkaar, mijn lichaam is ook uitgeput. Dag in, dag uit sloof ik achter dat immense fornuis en ook al is het heerlijk om al dat eten door je handen te laten gaan, het is zwaar werk. Ik ruik altijd naar eten, heb eelt op mijn handen en spierballen op mijn bovenarmen. Ik heb goede trucjes geleerd. Zo kan ik twee eieren tegelijk breken zonder schaalscherfjes te verliezen en draai ik mijn hand niet om voor een perfecte vinaigrette of aoli. Maar het zware werk is minder vermoeiend dan de vraag of je nog wel sannyasin bent en hoe de toekomst eruitziet.

Ik ben eigenlijk een beetje boos op Bhagwan, denk ik als ik op mijn bed naar het plafond staar. We hebben ons huis opgegeven voor de commune om vervolgens te horen dat alles anders wordt. Het was zíjn droom dat we onze levens in zijn communes zouden leiden, samen, met z'n allen. En het was mijn moeders droom om op deze manier een beter leven te leiden dan in de kille, materialistische maatschappij. Nu zitten we met problemen die misschien wel groter zijn dan die in de echte wereld. Maar wellicht is het streven in vrede te leven sowieso onuitvoerbaar, is het een droom, die een droom blijft. John Lennon werd niet oud genoeg om het echt te proberen, en voor de rest leeft niemand in vrede, nergens in de wereld. Waarom zou het ons dan lukken? De Nieuwe Mens is gewoon De Oude Mens gebleven.

Bhagwan zegt dat de ontwikkelingen hun natuurlijke loop hebben genomen, alleen sneller dan in de buitenwereld. Sheela heeft in Bhagwans jaren van stilte het rajneeshisme gesticht, een religie. Een religie leidt volgens hem tot uitbuiting van het individu. Uitgebuite individuen kunnen geen Nieuwe Mens zijn.

Dave komt binnen en vertelt dat volgens de laatste berichten besloten is om het rajneeshisme-boekje van Sheela te verbranden. In alle communes worden daar voorbereidingen voor getroffen.

'En ze gaan de Rolls Royces verkopen om de verliezen aan te vullen.'

'Allemaal?' vraag ik. Ik kan het me niet voorstellen, Bhagwan in een kleine, goedkope auto. Dat past niet bij hem.

'Nee, niet allemaal. Ik weet het niet, twintig of zo. Ik zou niet weten hoeveel een Rolls Royce oplevert. Nog iets anders; Sheela is op de televisie geweest in Duitsland. Ze zegt dat ze Bhagwan vaak heeft gewaarschuwd dat ze dure dingen als Rolls Royces niet konden betalen.'

'Maar ze hadden ze toch cadeau gekregen van rijke sannyasins?' zeg ik verbouwereerd. 'Alsof Bhagwan een klein kind is dat dure speeltjes wil. Hij is drieënvijftig.'

'Ze zeggen precies het tegenovergestelde van elkaar,' antwoordt Dave. 'Sheela beschuldigt Bhagwan ervan dat hij mensen drugs gaf en geld afhandig maakte, en dat er corrupte sannyasins zijn die hem ondersteunen. Terwijl hij over haar zegt dat zij mensen geld aftroggelde. Er zijn twee sannyasins die samen honderdveertigduizend dollar hebben geschonken waarvoor ze van Sheela niet eens een kwitantie kregen. Dat geld ging vast linea recta naar haar Zwitserse bankrekening.'

'Gadverdamme, wat een idiote situatie. Dit gaat helemaal verkeerd. Ik ben allang blij dat wij niet op de Ranch zitten.'

'Ja, maar als je er goed over nadenkt,' zegt Dave, 'dan kunnen er hier ook corrupte sannyasins zitten. Sheela is nota bene degene die de Rajneesh School heeft bedacht.'

Als ik ga slapen, ga ik een voor een alle mensen van de leiding van Medina na. Champa, Sikta, Kavita. Zouden ze corrupt zijn? Zouden het vriendinnen zijn van Sheela? Zouden ze ons willen vergiftigen?

De volgende ochtend kijk ik naar mijn kleren. Bhagwan wil dat we in alle kleuren van de regenboog lopen, maar mijn garderobe vertegenwoordigt echt maar één facet van de regenboog. Wat eerst niet rood of roze was, zoals ondergoed, is vanzelf al verkleurd. Ik trek daarom aan wat ik anders ook zou dragen. In Magdalena heeft een Duitse ma een blauw T-shirt aan; de rest is gekleed zoals altijd. De ma kijkt een beetje beschaamd. Misschien dacht ze dat we allemaal wat anders zouden aantrekken.

Het gesprek in de keuken gaat over de sannyasins die sinds de val van het Sheela-imperium uit Medina verdwenen zijn. Het gerucht gaat dat enkelen van hen gedropt hebben. Dat houdt in dat ze geen sannyasin meer zijn. Het is de grootste zonde die je als sannyasin kunt begaan. Het lijkt erop dat een stuk of drie mensen nu hun leven opnieuw moeten beginnen. Met één koffer en zonder geld en een huis.

143

Ik weet niet goed wat ik ervan moet denken. Het is laf dat ze opgeven, maar het is wel te begrijpen. Het is hier tenslotte niet meer zoals het was, en niets gaat zoals beloofd. Mogelijk hoorden ze bij de Sheela-clan en vinden ze het nu te gevaarlijk om te blijven. Maar ze zaten niet in de leiding, dus dat zal wel niet. Het is wéér iets om over na te denken.

's Middags heb ik mijn moeder aan de telefoon. We praten gewoon Nederlands, ook al zijn er mensen in het kantoor bij. Niemand zegt er ditmaal iets van. Mijn moeder vertelt dat er in Zorba een communemeeting is geweest en een persconferentie. Er blijkt geknipt te zijn in de Bhagwan-video's. Een lezing getiteld: 'Rebellie in de commune' heeft de communes nooit bereikt om 'technische redenen'. En ze gaan de boekjes van Sheela verbranden met een groot feest, in de tuin van de commune. Het gebeurt in alle communes maar niet in Medina, want ze vinden het niks voor kinderen.

'Ik ga mijn boekje bewaren,' zegt mijn moeder. 'Ik heb het nota bene zelf in het Nederlands vertaald.'

In Amsterdam blijken ze meer te weten dan wij. Er zijn bijvoorbeeld nieuwe regels over het aantal uren dat je moet worshippen. Volgens Bhagwan was er in geen enkele commune nog tijd om te mediteren, terwijl het daar allemaal om gaat. En om verdere corruptie te voorkomen, zullen de communecoördinatoren elke drie maanden wisselen van functie.

'Als het goed is, komen jullie bijna naar Amsterdam,' zegt mijn moeder.

Maar ik weet het niet. 'Ik heb geen idee, het gesprek gaat alleen maar over Sheela en Bhagwan. En over de rode kleren.'

'Rode kleren én de mala dus,' zegt mijn moeder. Die hoef je ook niet meer te dragen.'

'Onze mala's? Maar wil Bhagwan dat dan echt?'

'Schat, je praat met een Engels accent! Ik weet niet precies wat Bhagwan wil. Sommige mensen denken dat hij binnenkort vertrekt en dat het allemaal over is in Rajneeshpuram. Wie weet wat er allemaal gebeurt. Het is hier... ja, toch wat anders dan ik dacht. Veel strikter en mensen zijn niet open en er is sprake van zelfcensuur. Misschien dat dit door het vertrek van Sheela ten positieve keert. We laten alles voorlopig maar open. Maar maak je geen zorgen, binnenkort kom je naar Amsterdam en dan kijken we hoe het gaat en of de school in Vaals er komt. Daar ben ik mee bezig.'

Er zijn dan misschien minder werkuren, het is nu extra druk omdat we een feestmaaltijd moeten maken voor de kinderen die uit quarantaine komen. Ze hebben veertien dagen in een klaslokaal gewoond en verdienen nu wat speciaals. We maken frietjes, lekkere salades en pizza.

Na het feestmaal probeer ik mijn journalwerk in te halen. Ik schrijf aan Kavita dat ik bezorgd ben om Bhagwan en hoe het verder moet met hem, nu hij misschien niemand meer heeft die hij kan vertrouwen. Ik let erop dat ik 'hem' met een hoofdletter H schrijf.

Nu ik toch alle kleren die ik heb moet vervangen door gewone kleren, begin ik maar eens met zennen. Eigenlijk moest dat al weken geleden maar het kwam er niet van. Ik leg al mijn spullen op mijn bed en kijk wat er weg kan. Tien paar rode sokken is met de snelheid waarmee de was hier wordt gedaan sowieso niet nodig. Ik leg vier paar opzij. Ik heb twee T-shirts die te klein zijn, een paar zomerslippers, een oude trui met een gat erin, alles gaat op een stapel. Mijn andere spullen kijk ik ook door; drie oude *Popfoto*'s en twee *Hitkranten* kunnen weg en een oude kussensloop. De laatste keer dat ik kleding sorteerde was in ons oude huis. Ik dacht toen dat ik al mijn gewone kleren nooit meer nodig zou hebben. Het lijkt een eeuwigheid geleden. Een ander leven.

De volgende dag krijgen we op onze kop. Bhagwan is ontzettend kwaad. Op de Ranch hadden veel mensen ineens kleren in andere kleuren aangetrokken en zijn zo bij de lezing verschenen, sommigen zelfs zonder mala. Woest was hij. Hij zei dat wij sannyasins blijkbaar al die tijd andere kleren wilden dragen maar dat niet deden omdat we dachten dat het van hem niet mocht. Zijn jullie meelopers in plaats van bewuste, intelligente mensen, had hij geschamperd. Nu weet niemand meer wat we moeten aantrekken. Rode kleren omdat Bhagwan dát misschien toch het beste vindt, of gewone kleren omdat je dan onafhankelijk bent? In beide gevallen is Bhagwan niet tevreden. Hoe kun je dan de juiste keuze maken?

Het speelt hier natuurlijk minder dan op de Ranch. Bhagwan is ver weg en zal nooit weten dat hier een ma meteen een blauw T-shirt aantrok. Ik ben blij dat ik geen keuze heb. Maar als volwassene lijkt het me best moeilijk. Voor zover ik het begrijp wil Bhagwan dat we individuen zijn en ons niets aantrekken van wat er moet in de wereld en wat hoort en niet hoort. We moeten van de conditioneringen af die we in de maatschappij en van onze ouders opgelegd hebben gekregen, zegt hij. Daarom mogen mensen elkaar de hele dag omarmen, gek dansen, veel lachen, huilen of boos zijn, we hoeven niet steeds beleefdheden uit te wisselen en het is volkomen normaal als we lelijk zijn, dik of veel zweten want we accepteren iedereen. Schaamte is taboe. Maar ondertussen lijkt het of sannyasins júíst bezig zijn met hoe het hoort. Hoe het híer hoort. Hier móét je elkaar juist omarmen, willen mediteren, verlicht willen worden. Ikzelf hoef niet verlicht te worden, sterker nog, het lijkt me helemaal niets om vervolgens je leven lang geadoreerd te worden en meditatief te moeten zijn. Je mag als verlichte niet meer roken of snoepen en gevoelens heb je ook niet meer echt. Eigenlijk ben je dan een soort heilige, zoals Bhagwan. Maar ik kan beter niet hardop zeggen dat ik niet verlicht wil worden, want dat hoort niet. Net zo min als zeggen dat ik het belangrijk vind om geschiedenis te leren of aardrijkskunde. Of dat ik wil weten wat er in het nieuws is.

Ik haal thee en een Whispa bij de snackbar van Pradeesh en ga op het terras zitten met mijn winterjas aan. Elke dag is er weer wat en nu is Bhagwan dus boos. Maar is rode kleren dragen dan niet ook een conditionering die we van hem hebben geleerd? En daar moeten we juist vanaf. Niet voor niets zitten de meeste Europese communekinderen hier, in Medina; omdat Bhagwan heeft gezegd dat kinderen beter af zijn als ze opgroeien zonder hun ouders. Of het bericht echt van Bhagwan kwam weet ik niet, omdat Sheela het doorgaf in de tijd dat hij in stilte was. Maar kinderen zouden zich in ieder geval beter kunnen ontplooien als hun ouders er niet zijn. Toch vind ik dat raar, want wij hebben toch juist het goede soort ouders? Die ons nooit conditioneringen zouden aanleren?

Om me heen, aan de rand van het terras en op het pad spelen kleine kinderen, waaronder Matt.

'Jij bent Sheela en ik ben Bhagwan,' zegt Matt tegen een

ander jongetje. Het tweede jongetje doet of hij door een walkietalkie praat en een pistool op zak heeft. Hij vloekt en steekt zijn middelvinger op naar Matt. Matt, met een muts op roept met een uitgestreken gezicht; 'Shut up Sheela, je bent er geweest en ik stuur Interpol op je af!'

'Nee,' schreeuwt de kleine Sheela terug, 'ik ga lekker mijn eigen commune beginnen!' Dan rennen ze achter elkaar aan, het veld op.

Hier speelt de laatste generatie, denk ik. Wij zullen geen kinderen krijgen, want het is volgens Bhagwan geen tijd voor kinderen. Overbevolking is het grootste probleem en de komende decennia gaat de wereld toch kapot. Veel vrouwen laten zich daarom steriliseren. Het formulier dat mijn moeder kreeg voordat ik naar Medina ging, had daar ook betrekking op. Chemische en mechanische anticonceptie stond er, en sinds ik goed Engels spreek, begrijp ik waarom dat er stond: ze willen voorkomen dat ik zwanger word. Soms laten heel jonge meisjes zich onvruchtbaar maken. Gelukkig is het niet verplicht, want als ik groot ben wil ik trouwen en kinderen krijgen. Maar misschien is dat ook wel een conditionering en leer je in de maatschappij dat je dat moet willen.

Ondanks alle ophef rondom Sheela en de verwarring die ik daardoor voel, gaat het leven gewoon door. Iedereen werkt alle dagen en dezelfde uren als voorheen, ondanks de beloftes daarover. We maken het ontbijt, de lunch en het avondeten, we maken de menu's, ruimen op en maken schoon. Rond theetijd hang ik rond met Pradeesh of met anderen, 's avonds ben ik op mijn kamer. Ik krijg af en toe een brief of een telefoontje en vaak zoek ik bij gebrek aan huisdieren op het terrein naar konijnen. De tijd vliegt voorbij, als je tenminste alle ellende van je af weet te zetten. Soms lukt dat, omdat ik me inprent: Chandra, go with the flow en niet zoveel in je hoofd zitten. Als je in het moment bent heb je nooit last van het verleden of angst voor de toekomst en kun je deel zijn van het internationale boeddhaveld.

Maar hoe leeg ik mezelf ook probeer te maken, de opmerking van mijn moeder over mijn terugkomst naar Amsterdam, blijft in mijn hoofd zitten. Ik besluit naar Champa te gaan en haar te vragen hoe het zit.

Haar kantoor, vlak bij de theeruimte, is leeg. Stapels papieren liggen op haar bureau en Bhagwan kijkt ernaar vanaf zijn grote portret aan de muur. Ik besluit te wachten.

Het duurt lang en ik kijk rond in Champa's kantoor. Aan de muur hangt ook een lijst met namen. WAITINGLIST, staat erboven. Deze kinderen staan blijkbaar allemaal op de wachtlijst. Sajala staat op de vierde plaats! Haar leeftijd staat erbij: veertien jaar.

'Chandra, what's up?' vraagt Champa als ze plotseling verschijnt. 'Nog tevreden in Maggie's?'

'Best wel,' zeg ik geschrokken. 'Ik moet nu ook telefonische bestellingen doen en notuleren bij de meetings,' zeg ik snel.

'Mag. Mag notuleren. Heel goed. Wat is je vraag?'

'Is die lijst daar de wachtlijst en komen die kinderen allemaal hierheen?'

'Het zou kunnen, maar ik denk het niet. Je weet nooit iets zeker, het gaat zoals het gaat. Vermoedelijk kunnen jullie hier begin november allemaal weg.'

'Ik dus ook?'

'Jij ook, tenzij je hier alleen wilt achterblijven in dit grote pand.'

Begin november, dat is nog maar drie weken. En dan ga ik dus naar Vaals of een andere plek.

'Waar komt de school precies?' vraag ik, maar Champa kan niet antwoorden want Sikta stormt het kantoor binnen.

'Er is iets vreselijks gebeurd,' zegt zij met een bleek gezicht.

Wat dat vreselijke is, krijg ik een paar uur lang niet te horen. De leiding moet eerst overleggen hoe ze het nieuws gaan brengen. Ik werk door, en na etenstijd roepen Champa en Sikta ons bijeen in de hal van de Main House. Ze kijken ernstig.

'Vandaag kwam het bericht dat Bhagwan door de Amerikaanse autoriteiten is gearresteerd,' zegt Sikta.

Verder komt ze niet omdat een golf van angst de ruimte vult. Verschillende mensen slaan hun hand voor hun mond, ik voel me licht in mijn hoofd worden. Bhagwan gearresteerd. Opgepakt. Vastgezet. Opgesloten. Bhagwan arresteren: volledige onschuld wordt kapotgemaakt. Bhagwan en de gevangenis, dat zijn twee dingen die niet bij elkaar passen. Hij doet geen vlieg kwaad. Terwijl iedereen dichter bij elkaar gaat staan en sommigen hun armen om elkaar heen slaan, gaat Sikta verder.

'Bhagwan wordt verdacht van immigratiefraude en het plannen van schijnhuwelijken. Hij zou ook valse verklaringen hebben afgelegd en onderdak hebben geboden aan illegale buitenlanders. De Amerikaanse autoriteiten dachten dat hij het land wilde verlaten en hebben hem daarom vastgezet. Op dit moment is Bhagwans leven in gevaar omdat hij lijdt aan astma, suikerziekte en allergieën. Hij krijgt in zijn cel niet de zorg die hij nodig heeft en zijn handen en voeten zijn geboeid. Op de Ranch wordt alles op alles gezet om hem op borgtocht vrij te krijgen en ervoor te zorgen dat hij het juiste voedsel binnenkrijgt.'

Sikta pauzeert even en zucht diep. Dan vervolgt ze: 'Ze hebben een verlichte Boeddha vastgezet. Eerder deze maand heeft Bhagwan op een vraag van een journalist geantwoord: "Als ik word gearresteerd, verliest Amerika haar masker van democratie." Op dat punt zijn we nu aangeland. Verder is er niets te zeggen, we moeten wachten op meer informatie. Wees meditatief en zorg voor de kleintjes. Richt je op de vrijlating van onze spirituele meester.'

Sikta en Champa lopen weg. In de Main Hall wordt gehuild en gehugd. Ik wil weg, al die mensen benauwen me, en ik ren het gebouw uit, naar Alan Watts, mijn kamer in. Op mijn kamer is niemand. Erger dan dit kan haast niet. Ik kan mijn tranen niet meer inhouden en huil, omdat alles misgaat, om deze grote mislukking, om alle moeite die ik doe, om mijn moeder en om die arme oude man in een koude politiecel.

Een paar uur later word ik wakker. Ik was in slaap gevallen. De anderen slapen ook dus het moet al laat zijn. Ik kijk op mijn klokje; het is half een. Ik moet om half zes werken.

Tegen mijn gewoonte in sta ik op en loop naar buiten. Ik ben nog nooit 's nachts op het terrein geweest. Het is koud, donker en er is niemand te zien. Alleen bij de ramen van de lounge brandt nog licht. Ik sluip erlangs en loop het gazon op.

In Amerika is het nu dag. Bhagwan zal wel wakker zijn, als hij al aan slapen toekomt in zo'n cel. Gelukkig zorgen zijn naaste sannyasins altijd goed voor hem. Dat zullen ze nu zeker ook proberen. Maar zou het helpen? Hij is zo teer.

Ik heb Bhagwan meerdere keren horen vertellen over de unieke kans die hij ons biedt om in de buurt te zijn van een verlichte meester. De laatste keer dat dit kon was ten tijde van Boeddha, heel lang geleden. Jezus vond hij bijzonder, maar die leefde meer dan tweeduizend jaar geleden. Nu is Bhagwan er, een levende Boeddha met om hem heen een selecte groep mensen, onder wie ik. Het duurt misschien duizenden jaren, als de wereld dan nog bestaat, voordat deze kans zich opnieuw voordoet. En Amerika sluit hem op met misschien wel zijn dood tot gevolg. Ze weten niet hoe bijzonder hij is.

Bhagwan is mijn lieve opa op afstand. Hij kan grappen maken, gek doen en wijze dingen zeggen. Ik hou van hem en wil het beste voor hem. Want dat verdient hij.

Maar straks is het voorbij. We zijn voor niets de commune ingegaan, hebben voor niets ons huis weggedaan, ons leven opgegeven. Bhagwan zal doodgaan, de communes zullen uit elkaar vallen, wij sannyasins zullen verdwijnen. De wereld zal vergaan met ons erbij. Niks Nieuwe Mens die het redt; ook wij gaan kapot. Al kan niemand zeggen dat we het niet hebben geprobeerd.

Tot aan het einde, dat zeker zal komen, moet ik er het beste van zien te maken. Doorgaan, op mijn tanden bijten, volhouden. Te beginnen met mijn werk morgenochtend. Snel naar bed en slapen.

Het nieuws dat de volgende dagen binnendruppelt, variërend van wat Bhagwan te eten krijgt tot het aantal bossen bloemen buiten de poort van zijn gevangenis, laat ik langs me heen glijden. Ik doe dat expres. Het enige dat nu voor mij bestaat is soep, salade, sauzen en brood. Voedsel, dat kun je vastpakken en het is er elke dag. Mijn haarnetje en rode schort zijn mijn reden om op te staan. Hangend aan een haak is mijn uniform nutteloos, maar als ik het aantrek heb ik een doel, ben ik iemand met een functie in een systeem. Ook al is dat systeem een illusie, met mijn schort aan blijf ik een goede sannyasin die haar best doet en functioneert. De goede sannyasin werkt elke dag, schrijft in haar journal, volgt haar lessen, brengt de kleineren naar bed, verzamelt haar was, voert gesprekken over niets, lacht en slaapt. Aan haar zal het niet liggen.

De sfeer is veranderd. We zijn niet meer onschuldig en moeten met deze bezoedeling leven. Er drukt iets op ons. Desalniettemin vieren we getrouw onze sannyasin-verjaardagen, zingen we na werktijd liedjes in de keuken, spreken we gibberish en proberen lol te maken zoals altijd. Ik schrijf mijn brieven en doe de dingen routineus. En langzaam komt onze vertrekdatum naderbij, al weten we die niet precies. Een groep Japanners, van de International Bhuddist High School uit Osaka, komt langs om het gebouw te bekijken, want het staat te koop. Alles moet extra schoon worden gemaakt en er piekfijn uitzien. Het helpt, want de Japanners gaan over tot de aankoop van het landgoed.

Als het vaststaat dat we binnenkort vertrekken, worden er schema's gemaakt voor ons vertrek. De school in Vaals of een andere plaats is nog niet van de grond gekomen, dus we zijn straks allemaal eerst een tijd bij onze ouders of in ons eigen land.

We horen dat Sheela in West-Duitsland is gearresteerd. Er wordt gezegd dat het vooral haar idee was dat kinderen gescheiden van hun ouders moesten wonen. Iedereen mag nu weer bij elkaar. Dit betekent dat ik inderdaad naar Amsterdam ga en dat de nieuwe school er misschien niet eens komt. Ik kan naar mijn moeder, naar Sajala, en ik woon straks weer dichter bij mijn vader.

Ik vind het een vreemd idee, met mijn moeder in dezelfde commune te wonen, nu ik weet hoe een commune is. Om haar te zien werken, met haar te eten met alle anderen erbij, haar gewoon tegen te kunnen komen. Maar ook is het vreemd dat zij mij zal kunnen zien terwijl ik werk, of als ik met vrienden optrek. Ik ben hier iemand geworden, iemand die helpt om de keuken te runnen, iemand die meedraait in het geheel. Wat zal ze daar van vinden?

Mijn moeder is wild enthousiast aan de telefoon. Ze is blij dat het nog niet is gelukt een school in Vaals op te zetten omdat ze mij zo heeft gemist.

Pradeesh en een paar anderen gaan ook naar Nederland. We zullen onder begeleiding samen naar Amsterdam reizen. De rest van de kinderen op Medina Rajneesh School is grotendeels Engels, Duits en Italiaans en gaat elk naar zijn eigen land. Divya en Prama gaan naar Keulen of München, Dave naar zijn vader of moeder. Waar de volwassenen naartoe gaan is me niet duidelijk.

Een paar keer per week is er een afscheid en staan we bij de hoofdingang busjes uit te zwaaien. In Maggie's maken we lunchpakketjes voor onderweg en langzaamaan wordt het leger in het gebouw.

Mijn afscheid valt me niet zwaar. De maanden zijn voorbijgevlogen. Ik heb leuke mensen leren kennen, maar ik geef eigenlijk alleen om Pradeesh, die meegaat naar Amsterdam. Dave geeft mij het adres van zijn vader. Hij wil dat ik hem schrijf. Baruna en ik omarmen elkaar kort. Dag in, dag uit liepen we zwetend en ploeterend om elkaar heen. Zij is het die mij veel geleerd heeft en me een passie voor koken heeft meegegeven.

In Medina heb ik voornamelijk een vak geleerd, denk ik, wanneer ik nog eenmaal naar het gebouw kijk bij het wegrijden. Niets meer en niets minder.

Een liefdevolle initiatie

1985 Amsterdam

Ik kan mijn vertrek nauwelijks bevatten maar tegelijkertijd is mijn leven zo losgeslagen dat ik de verhuizing amper
bemerk. Als je geen houvast hebt, merk je grote veranderingen nauwelijks op. Ik woon overal en nergens met
steeds andere mensen; maar telkens in een commune en
met sannyasins. Het grote verschil is natuurlijk wel dat
mijn moeder ook in Amsterdam woont.

Als we aankomen bij het Cornelis Troostplein, staat ze
buiten op me te wachten. Ze omhelst me zo krachtig dat ik
niet meer kan ademen. Ze lijkt wel uitgehongerd.

Er is een welkomstfeestje georganiseerd, vertellen mijn
moeder en Sajala, met extra lekker eten. In Magdalena
zijn frietjes gemaakt en salade en andere lekkere dingen.
Ik heb geen honger, maar laat dat niet merken. Ik ben moe
van de reis en totaal uitgeblust.

Mijn moeder en Sajala hebben elkaar de afgelopen
maanden een beetje leren kennen. Sajala en ik beginnen in
feite opnieuw, want we hebben in het verleden eigenlijk
alleen brieven geschreven.

Aan tafel zegt Sajala dat Pradeesh en ik met een Engels

accent praten. 'Doe niet zo ovewdweven,' zegt ze. Maar ik heb het niet eens door.

Mijn moeder snapt het. 'Ik pikte vroeger ook altijd snel een accent op. Over een paar dagen is het wel verdwenen.'

Sajala en ik slapen samen op een kamer, die zich op de hoogste verdieping van het gebouw bevindt. Het voordeel is, zegt Sajala, dat we er met z'n tweeën slapen en dat er niemand langsloopt. Ik vind het best, en ben opgelucht dat ik niet met mijn moeder een kamer hoef te delen.

Tijdens het etentje ontmoeten we de andere tieners uit de commune. Sajala stelt me voor aan een drietal jongens en acht meiden. Pradeesh kent de anderen al. 'Maar je zult ze de komende tijd wel beter leren kennen,' zegt ze, als de meesten na de begroeting hun eigen weg gaan.

Mijn moeder ziet er niet gelukkig uit.

'Morgen wil ik even goed met je praten,' zegt ze. 'Ga nu maar naar bed. Je ziet er moe uit.'

Sajala neemt me mee naar onze kamer. Er ligt al een matras op de grond met beddengoed erop. Links is een kastje waarin Sajala ruimte maakt voor mijn kleren.

'Denk je dat ik hier in de keuken zal kunnen werken?' vraag ik haar.

'Dat moet je morgen maar aan de leiding vragen. Ik werk zelf bij de receptie, dat is wel leuk. Leer je ook snel iedereen kennen.'

Als het licht uitgaat, praten we nog lang in het donker, over Sheela en Bhagwan, onze moeders, de mensen hier. Dat is in Medina niet één keer gebeurd. Wat heb ik het gemist om een vriendin te hebben. En ook al heeft ze commentaar op mijn Engelse accent, Sajala voelt als het zusje dat ik nooit heb gehad.

De volgende dag slaap ik lang uit. Als ik wakker word is het bijna lunchtijd. Sajala is al weg. Mijn moeder heeft een briefje bij mijn bed gelegd. Ze wil met me afspreken in de kantine om half een.

Ik loop met een handdoek om naar de badkamer die een verdieping lager is. De ruimte die ik door moet ligt vol matrassen, ongeveer dertig in totaal. Hier en daar liggen nog mensen te slapen. Ze zullen wel nachtdienst hebben gehad in Zorba.

Er is niemand in de badkamer – iedereen werkt al een uur of vier. Het is prettig om wat meer ruimte te hebben. De douchecabine in Engeland was krap en had geen goede spiegel. Ik bekijk mezelf uitgebreid en zie dat ik ouder ben geworden. En vrolijk zie ik er ook niet uit.

Na het douchen en aankleden ga ik naar beneden. Overal zie ik sannyasins aan het werk. Het valt me op dat sommige mensen niet helemaal in het rood gekleed zijn. Ook is het een stuk stiller dan in Medina, wat natuurlijk komt doordat er minder kleine kinderen zijn.

Ik zie mijn moeder in de kantine zitten. Ze zit alleen aan een tafeltje. De lunch is nog niet klaar en ik ga bij haar zitten.

'Heb je lekker geslapen?' vraagt ze. Zelf ziet ze er oververmoeid uit.

'Beter dan jij, denk ik.'

We kijken elkaar aan. Gek om na zo'n lange periode ineens weer rustig met mijn moeder te kunnen praten. Ik voel me anders dan voorheen en heb het gevoel dat mijn moeder mij niet goed meer kent. Eerst bespreken we het laatste nieuws over Bhagwan. Na zijn arrestatie heeft hij acht dagen in de gevangenis in North Carolina en Oklahoma City gezeten. Nu spant het erom of hij op borgtocht wordt vrijgelaten. Hij heeft sannyasins opgeroepen in stilte voor Amerikaanse ambassades en consulaten te demonstreren.

'En dat hebben we gedaan,' vertelt mijn moeder. 'We hebben op het Museumplein bij het consulaat gedemonstreerd. We hadden spandoeken gemaakt met de tekst: AMERICA LOSES ITS FACE OF DEMOCRACY. Je hebt het net gemist. Maar eigenlijk wil ik je op de hoogte brengen van hoe het hier nu gaat. Je weet dat ik niet meer bij de *Rajneesh Times* mag werken? Ze hebben me eruit gezet omdat ze vonden dat ik te veel kritiek had.'

'Hoezo, wat heb je dan gedaan?' vraag ik.

'Nou ja, ze vinden dat ik me niet goed gedraag. Ik had kritiek op het feit dat er censuur werd gepleegd. Als er bijvoorbeeld post komt uit de Ranch, een telex of zo, dan kopieer ik die en hang ik die op het prikbord zodat iedereen het laatste nieuws kan lezen. Maar een paar keer was zo'n bericht na een halfuurtje alweer weggehaald. Ik begreep niet waarom en ging vragen hoe dat zat. "Nou Rupi," werd er gezegd, "het is niet aan jou om die informatie te verspreiden en bovendien is niet al het nieuws voor iedereen bestemd." Ik vond juist van wel, want we zijn een commune. Maar daar werd kennelijk anders over gedacht.' Mijn moeder trekt er een vies gezicht bij.

'Ik heb toen een brief geschreven aan Baghwan en aan de commune waarin ik schreef dat ik moeite had met het blindelingse vertrouwen dat de leiding van je verwacht. Als je ergens kritiek op hebt, krijg je altijd te horen dat er iets mis is met jezelf. Ik ben het daar niet mee eens. Ik heb de brief, voordat ik deze aan Baghwan stuurde, aan de leiding laten lezen. Na lezing kreeg ik alleen te horen: "Dit is een belediging voor de commune." Je moet kritiek mogen hebben. Die brief heeft even op het prikbord gehangen, maar werd algauw verwijderd. Ik heb met veel mensen ruzie gekregen. Eigenlijk zijn er nog maar een paar mensen die met me praten.'

Ik kijk om me heen. Het valt me nu pas op dat er weinig mensen zijn die mijn moeder gedag zeggen. Bovendien kijken twee mensen argwanend in onze richting.

'Wat doe je nu dan?' vraag ik haar. Ik ben bang voor het antwoord. Misschien is ze wel verbannen naar de schoonmaak, wat niets voor mijn moeder is. Maar ik ben ook lichtelijk geïrriteerd. Waarom moet mijn moeder nou weer moeilijk doen en opvallen?

'Omdat geen enkele tempel me wilde hebben, en ik dus niet meer in de *Rajneesh Times*-tempel mocht werken, ben ik nu zelf een tempel. Ik heb een bureau in de hoek van het kantoor en ik ben een boek aan het vertalen. Op een oude, Russische computer. Mijn werk heeft eigenlijk niets met de commune te maken. Wat ik je in feite wil zeggen, is dat het hier niet is zoals ik dacht dat het zou zijn. Als ik iets ter sprake breng, bijvoorbeeld op een communemeeting, reageert iedereen met "Oh, Rupi heeft weer commentaar hoor". Ik vertrouw het hier niet. Er is minder openheid dan ik zocht. Denken is "uit" en voelen is "in". Dat is niet wat Bhagwan bedoelt met "drop the mind". En bovendien is het onzeker of de commune blijft bestaan. Alles is onzeker. Misschien wil ik wel weg.'

Ik kijk mijn moeder aan. Ze ziet er verdrietig uit. Maar ik heb geen zin om haar te troosten. Weggaan? Ik ben hier net. We zijn weggegaan uit Leiden, al onze spullen zijn verkocht. Kan ik er wat aan doen dat het hier niet leuk is voor haar. Dit, de commune, samen delen met anderen, het was haar keuze, haar grote ideaal. Ik doe mijn best, ik ploeter ook voort, en voor wie? Voor haar. En nu is ze ontevreden. Ze moet altijd moeilijk doen, dwarsliggen, anders zijn. Nu zelfs bij mensen die óók anders zijn. Ik zou lief moeten zijn voor mijn moeder, maar in plaats daarvan ben ik boos. Ik heb geen antwoord en zeg niets.

'Iets anders,' vervolgt mijn moeder uiteindelijk, 'is dat je weer naar school moet. Besloten is dat alle kinderen weer naar een gewone school gaan, hier in Amsterdam. Want de Rajneesh School hier in Nederland komt voorlopig niet van de grond en we kunnen de leerplichtwet niet negeren. Sajala gaat waarschijnlijk naar het Montessori Lyceum; misschien moet jij daar ook maar naartoe. Ik wil graag dat je het vwo doet, want wat Bhagwan daar ook over zegt, ik wil dat je naar de middelbare school gaat. Ik heb al een afspraak geregeld.'

'Maar ik heb een achterstand in alle vakken!' roep ik verontwaardigd uit. 'Iedereen is al begonnen, het is november. En ik was blijven zitten...'

'Dat geeft niet, zeiden ze. Laten we die afspraak maar even afwachten.'

Mijn moeder zegt dat ze weer aan het werk gaat. We zijn vergeten te lunchen. Om ons heen zijn de tafeltjes vol geraakt.

'Ik ga ook wat te eten halen,' zeg ik. Mijn moeder staat op en loopt weg terwijl ik mijn lunch haal. Ik voel me schuldig dat ik zo bot tegen haar doe, maar ik weet niet hoe ik hiermee om moet gaan.

Tijdens het eten zie ik niemand die ik ken. Een Amerikaanse man van een jaar of dertig lacht en knipoogt telkens naar me. Ik besluit naar de keuken te lopen om te vragen of er werk is. Jammer genoeg hebben ze niemand nodig. Sajala vertelt dat er beneden bij de receptie plek is.

Amrita, een wat ouder Nederlands meisje, werkt achter het bureau waar mijn moeder en ik ons op de eerste dag inschreven.

'O wat gezellig dat je komt helpen,' zegt ze. 'Ik ga je morgen alles uitleggen, ik heb toch de tijd.'

's Nachts worden Sajala en ik uit ons bed gehaald want er is nieuws uit Amerika. We zitten met zijn allen in pyjama op de gangen. Ik zie Rupi verderop. Bhagwan is op borgtocht vrijgekomen. Dat is goed nieuws, al is de ellende nog niet over, want de echte rechtszaak moet nog beginnen. Na een halfuur napraten strompelen Sajala en ik doodmoe weer naar onze kamer.

De volgende dag ga ik naar Amrita om te werken bij de telefooncentrale. Al is er door het nieuws wat minder tijd – we worden veel gebeld door journalisten – Amrita leert me hoe het apparaat met acht lijnen werkt. Je moet opnemen met de woorden: 'Met de Stad Rajneesh.' Via de centrale kan naar alle afdelingen worden doorverbonden. Na je shift maak je de telefoonhoorn schoon met alcohol. De prullenbak zit dan ook vol met gebruikte tissues. Er is ook een intercom en een telexapparaat. De internationale communes wisselen voornamelijk met de telex berichten uit. Het apparaat maakt een hoop lawaai. Amrita vindt het leuk om via de telex contact te hebben met sannyasins die in andere communes ook bij de receptie worshippen.

'Lekker kletsen,' zegt ze. 'Duur is het wel, maar dat merken ze toch niet.'

Amrita en ik lachen die eerste middag veel. Ze had met wat andere Nederlandse meisjes een bliksembezoek ge-

bracht aan Medina, maar waren meteen teruggegaan omdat ze er niet mochten roken.

'In Amsterdam kan er veel meer, man.'

Een paar dagen later hoor ik dat Pradeesh weggaat, wat ik
erg jammer vind. Hij kan naar de Ranch toe, waar zijn
moeder woont. Zijn koffer blijft zowat onuitgepakt want
er wordt meteen een ticket geboekt. Als we afscheid nemen zeg ik dat ik hem zal missen en wens ik hem veel
sterkte toe, want het is een gekke tijd om naar de Ranch te
gaan.

De ma die Pradeesh' ticket brengt, heeft ook wat voor
mij. Ze komt aan met een pluchen zakje, waarin tientallen
lange, verzilverde platte kralen zitten.

'Chandra, je bent drie maanden in de commune. Je bent
nu een vaste bewoner. Ik ga je je kraal geven.' De ma kijkt
op een lijst met nummers. 'Jouw nummer is E32664.' Ze
kijkt in het zakje en vindt mijn kraal. 'Alsjeblieft. Je moet
hem boven je locket hangen. Als je touw wilt, moet je even
naar het kantoor komen.'

Op een kant van de kraal staat mijn nummer in het zil-
ver gegraveerd, op de andere kant staat Bhagwans handtekening. Om de kraal aan mijn mala te kunnen hangen
moeten alle andere kralen eraf. In het kantoor haal ik een
schaar en touw. Na een halfuur heb ik mijn mala opnieuw
geregen. Bhagwans handtekening praalt glimmend boven
zijn foto. Toen ik in de commune aankwam, dacht ik dat
ik iets zou voelen bij dit moment, maar eigenlijk kan het
me gestolen worden dat ik nu een officiële bewoner ben.

's Avonds nodigt Sajala me uit om een video te bekijken,
maar ik zeg dat ik eigenlijk geen zin heb in weer een zo-

veelste Bhagwan-lezing en dat ik geen rust in mijn hoofd heb. Maar ze bedoelt een heel andere video. Boven, in de kapel van ons gebouw, staat een videorecorder, waarop weleens films van de videotheek om de hoek worden afgespeeld. Samen gaan we naar de videotheek. Het is de eerste keer dat ik me weer gewoon op straat begeef en het lucht op.

We huren een horrorfilm over een moorddadige hond. Op de terugweg worden we aangesproken door twee meisjes van onze leeftijd.

'Hé, zijn jullie Bhagwanners?' vraagt een van de meisjes.

Sajala en ik aarzelen allebei met antwoorden. Dan zeg ik: 'Nou, eigenlijk noem je ons sannyasins.'

'Hoe?' Er volgt een gesprek over sannyasin zijn, rode kleren en mala's. 'Jullie vinden het toch niet echt leuk om altijd rode kleren te kopen? Nooit zin om eens naar de Albert Cuyp te gaan en iets nieuws aan te schaffen?'

Ik besef opeens dat we helemaal geen geld hebben. Ik heb alleen een voucher voor snoep, drank en sigaretten, maar dat zeg ik maar niet. Het gesprek eindigt ermee dat Sajala en ik Bhagwan en de commune verdedigen en vertellen dat we een heel leuk leven hebben. En dat we niets missen. De meisjes geloven ons niet helemaal, dat is duidelijk te zien. Zelf geloven we het ook maar half.

Voordat de film begint, bel ik mijn vader. Hij is blij dat ik weer terug ben in Nederland en wil me snel zien. Maar ik leg uit dat dat niet gaat, omdat ik moet werken en ook omdat je niet zomaar voor een paar dagen de commune kunt verlaten. Ik vertel hem ook over Bhagwan. Hij had alles al op het nieuws gehoord, zegt hij. We praten er niet lang over. Ik kan het allemaal niet goed uitleggen en schaam me een beetje voor de dingen die er gaande zijn. Hij zal wel denken: waar is mijn dochter toch terechtgekomen? Mijn vader is zeer tevreden als hij hoort dat ik weer naar school moet. 'Je moet zo snel mogelijk je achterstand inhalen.'

De film die we hebben uitgekozen is zo eng dat we daarna geen van allen willen slapen. We hangen wat rond en kletsen. De meisjes hebben het over de mannen. Ook hier is bijna iedereen met een man of een jongen, is verliefd of verliefd geweest en ontmaagd. De meeste meisjes zijn iets ouder dan Sajala en ik, die zelf ouder is dan ik, maar toch vind ik ze te jong om met iemand naar bed te gaan.

'Het maakt niet veel uit, als je om iemand geeft heeft leeftijd er toch niets mee te maken?' zegt een van de meisjes. 'Iedereen doet het, hoor.'

Ik kom er tot mijn verbazing achter dat de commune een kat heeft. Frits, een dikke kater. Als we via de lounge naar onze kamer gaan, begroet ik hem uitgebreid. Sajala niet, want zij is allergisch. Met Frits erbij lijken we net een enorm groot gezin. Maar ik baal er wel van dat ik Snuffie heb moeten afstaan, want allergie is blijkbaar toch geen reden om huisdieren te weren.

De volgende dag horen we dat een journalist van een krant een artikeltje wil schrijven over kinderen in de Stad Rajneesh. Sajala en ik worden benaderd om eraan mee te doen. We twijfelen omdat de pers aan alles een negatieve draai geeft en sannyasins telkens in een kwaad daglicht worden gesteld. We moeten dus oppassen met wat we zeggen. Maar omdat het stuk op een kinderpagina zal worden geplaatst is het risico misschien minder groot. Om goed op de foto te komen, doe ik mijn roodgeverfde Choose Life Wham!-trui aan.

De journalist is aardig – hij stelt veel vragen maar hengelt niet naar allerlei vervelende onderwerpen. We vertellen uitgebreid over hoe we sannyasin zijn geworden en wat onze worship is. De fotograaf vindt het jammer dat hij een zwart-witfoto moet afdrukken; hij vindt onze paarsrode kleren gecombineerd met het tafelkleed op het tafeltje in de lounge en de cassis die we drinken, een kleurenfoto waard. We vertellen hem ook over onze zorgen en ons verdriet om Bhagwan. Dat laatste blijkt de journalist het belangrijkste te vinden, want hij maakt onze uitspraak daarover tot de kop van het stuk.

Ik heb het werk bij de receptie al aardig onder de knie als het tijd is voor de afspraak bij het Montessori Lyceum in de Pieter de Hoochstraat. Eigenlijk blijf ik liever met Amrita en Sajala bij de telefoon werken, maar het moet nu eenmaal. Mijn moeder en ik gaan er met de tram naartoe want we hebben geen fietsen.

Meneer Hobijn, die Engels geeft en hoofd is van de onderbouw, ontvangt ons. Hij kijkt niet op van onze rode kleren, maar vraagt wat ik de laatste maanden in Engeland heb gedaan en waarom ik op het Haags Montessori Lyceum in de brugklas ben blijven zitten.

'Daar heb ik niets gedaan, en in Engeland heb ik alleen maar gewerkt.' Ik hoop hem er op deze manier van te overtuigen dat ik niet geschikt ben voor een gewone school. Maar in plaats van ons weg te sturen, zegt hij dat ik over een aantal dagen in de tweede klas mag beginnen. '2A is een gezellige klas, al mag er wat harder gewerkt worden.'

Meneer Hobijn praat nog wat na met mijn moeder. Ze vertelt later dat hij van mening is dat het Montessori een prima school voor mij is, omdat hij me zeer zelfstandig vindt.

Zelfstandig of niet, ik voel er niets voor om naar school te gaan. Ik moet al wennen aan het leven in de commune, en dan moet ik zeker ook nog vrienden gaan maken op een nieuwe school.

'Als je weer naar school gaat, ben je ook bijna jarig, vergeet je dat niet? Veertien. Veertien! Grote meid!'

Mijn moeder probeert me op te vrolijken, dat zie ik wel. Ik heb geen zin in mijn verjaardag, zelfs niet in mijn gewone verjaardag, die sannyasins niet eens behoren te vieren. Ik zie dat mijn moeder haar best doet, terwijl het met haarzelf, noch met Bhagwan en de Ranch goedgaat, en ik haar een beetje zou moeten opvrolijken. Maar ik heb er de energie niet voor.

Als we terugkomen horen we dat Bhagwan en zijn vriendin waarschijnlijk zijn teruggevlogen naar India. In ieder geval is hij niet meer op de Ranch, en de Ranch gaat misschien sluiten. Ik denk aan Pradeesh die nu in Rajneeshpuram zit. Hoe zou het daar zijn? Ik ben blij dat ik mijn moeder in de buurt heb, al weet ik niet echt wie wie moet troosten.

De Amerikaan die steeds zo lacht en knipoogt is grappig. Op een middag kom ik hem tegen tijdens de theepauze. Hij heeft mij gezien toen ik in de lounge op de foto moest voor het artikel in de krant, vertelt hij later. 'Wat zag je er mooi uit. Een echte vrouw al,' zegt hij. Ik vind het leuk om complimenten te krijgen. Dan vraagt hij of ik meega naar zijn kamer om even uit te rusten. Ik vind het een vreemde vraag maar dan zegt hij dat ik een 'bijzondere energie' heb en dat hij graag voor me wil zorgen. Ik merk dat ik behoefte heb

aan wat aandacht dus ik ga mee naar zijn kamer en we praten over Amerikaans-Engels. Als ik wat dingen opschrijf,
zal hij die nalezen en corrigeren. Plotseling vraagt hij of ik
maagd ben.

'Ja,' zeg ik aarzelend, 'ik ben nog maagd,' en ik bloos.

'Dat geeft toch niet, ik kan je wel helpen. Mag ik je ont-
maagden? Ik zal heel voorzichtig zijn. Met jongens van
jouw leeftijd zal het een hoop geklungel zijn. Met mij krijg
je een heel liefdevolle initiatie.'

Ik leun achterover op zijn bed. Ik ril door dit onver-
wachte verzoek en vind de Amerikaan vreemd. Ik voel me
geborgen door zijn zorg en aandacht maar ik weet niet zeker wat dat met seks te maken moet hebben.

'Je zult een prachtige, ontluikende bloem zijn, als ik wat
bij je doe,' zegt hij nog, maar ik stamel dat de theepauze
voorbij is en ik weer aan het werk moet.

'Moet je doen!' zegt een wat ouder meisje uit Duitsland
dat op bezoek is in de commune, later die dag. 'It's great!
Gewone jongens zijn zo onzeker. Ik had een man die me
masseerde, hij was zo geweldig, ik voelde me dagenlang
goed.' Ik stel me erbij voor dat ik dan allemaal dingen
moet doen die ik helemaal niet kan. 'Je moet je geen zorgen maken, hij weet vast wat hij doet. Het is zo bevrij-
dend, geniet nou maar, enjoy!'

Enjoy, enjoy, ik ben nog geen veertien, denk ik. Ik heb nog
alle tijd en ik wil mezelf bewaren voor een goeie jongen.
Naar mijn kamer lopend besluit ik het met Sajala te bespreken. Maar er is niemand op de kamer. In bed denk ik
een tijd na over seks, mannen en jongens. De jongens hier
zijn lang niet zo complimenteus en volwassen als je zou

willen. En ze tonen ook niet zo veel interesse. Althans, mij is door de jongens hier nog geen verkering gevraagd. En er zijn ook niet zo veel jongens.

Bhagwan zegt dat seks leidt tot een hoger bewustzijn. Dat het goed is en gezond en dat er niks mee mis is. Misschien heeft de Amerikaan wel gelijk en is het beter om het met hem te doen dan met een onervaren jongen. Je kunt het maar beter meteen goed leren.

Het is midden in de nacht als ik wakker word van gestommel. Het is Sajala. Ik ruik de geur van de communezeep. Even later, als ze eenmaal in bed ligt, wil ze me iets vertellen. Ze had met Prem, op wie ze een beetje verliefd is, tot laat in de avond in de lounge gezeten. Hij had haar meegevraagd naar zijn kamer en daar hebben ze het gedaan.

'Hij was heel lief, hoor. Hij vond het een hele eer en zei dat hij ook verliefd is op mij.'

'Jee,' kan ik alleen maar uitbrengen terwijl ik nadenk over de Amerikaan. Moet ik eigenlijk eerst verliefd op hem zijn, vraag ik me af. Of hij op mij. Luisterend naar Sajalas bandje met harpmuziek vallen we in slaap.

'Ga je nou een keer mee?' vraagt de Amerikaan me de volgende dag op de gang. 'Dan gaan we stoeien. Je kunt vast niet tegen kietelen,' en hij port in mijn zij. Ik moet hard lachen.

Met Amrita praat ik bij de receptie over hem.

'Hij lijkt me heel grappig, echt een swami met wie je lol kunt hebben,' zegt ze. 'O ja, er zit nog iets voor je in de message box.'

'Voor mij?' vraag ik.

Onder de C van Chandra zit inderdaad een briefje. 'I would like to be with you,' staat erop, ondergetekend

'Gopal', met twee hartjes erbij getekend.

'Gopal, is dat niet die lange Duitser met dat blonde haar? Die ook al best oud is, dertig of zo?'

'Die ene die bij de snackbar werkt?' zegt Amrita. 'Ja, ik denk het wel. Hij hing hier gisteren rond. Hij wist je naam niet dus die heeft hij aan mij gevraagd. Ga je hem antwoorden?'

Net op dat moment loopt hij langs.

'Hé Chandra. Heb je mijn briefje gevonden?'

'Eh ja,' zeg ik.

Amrita en ik giechelen.

'Ga je me antwoorden?'

'Daar ga ik over nadenken,' zeg ik.

Dan loopt hij door.

Amrita vraagt: 'Nou, ga je hem nou antwoorden? We willen het allemaal weten. Hij vindt je leuk, zo te zien.'

Maar ik weet het nog niet. Ik ben nog niet half zo oud als hij.

's Avonds zie ik mijn moeder bij het eten. De sfeer is niet goed. Eigenlijk vind ik het niet leuk om met haar te eten, want ze klaagt overal over. Ze vertelt over haar wekelijkse verplichte worshipdag in Zorba.

'Gisteren reden we met het busje naar Zorba. Toen we er bijna waren, zagen we een groep mensen gezellig muziek maken midden op de Dam. Waarschijnlijk rookten ze ook jointjes. Ik dacht, dat ziet er gezellig uit, maar in het busje zei iedereen: "Wat een stomme hippiekrakers." Ze scholden ze uit. Ik voelde me helemaal op de verkeerde plek. Ik zit liever met die mensen op de Dam muziek te maken dan in dit busje met scheldende sannyasins.'

Zeur toch niet zo, denk ik. Doe niet overal zo negatief

over. Pas je aan of ga weg. Dan blijf ik wel hier en ga jij muziek maken met hippies. Maar ik zeg niks, dat heeft toch geen zin.

'O ja,' zegt ze, 'komend weekend ben ik even weg. Ik ga in Leiden logeren, want ik moet er even uit. Als jij ook weg wilt, bel papa dan. Hij vindt het vast fijn als je langsgaat.'

'Weggaan? Maar ik heb mijn shifts bij de receptie. Jij moet eigenlijk toch ook worshippen? Bovendien, in de commune doe je honderd procent mee, niet tachtig procent.'

'Je herhaalt alles wat ze hier zeggen, hè,' zegt mijn moeder. 'Je neemt het als een papegaai over.'

'En jij hangt weer lekker de rebel uit. Niemand gaat zomaar weg.'

Ik erger me mateloos aan mijn moeder. Ik doe tenminste keurig wat er van me verwacht wordt.

'Doe niet zo zwak,' zeg ik er nog achteraan.

'Nee, de mensen hier zijn zwak,' antwoordt ze. 'Ze praten elkaar na, ze durven geen kritiek te uiten. Weet je dat er best mensen zijn die mij persoonlijk vertelden dat ze het volkomen met me eens zijn? Dat ze het dapper vinden dat ik niet alles klakkeloos aanneem? Ze durven het alleen niet en plein public te zeggen.'

'Nou, begin je eigen commune dan. Maar val me niet meer lastig met je kritiek. We wonen nu hier, omdat jij dat wilde. Punt uit. Ga maar lekker logeren.'

En ik loop weg, al zie ik dat mijn moeder huilt.

Ik slenter een tijdje door de gangen en tref uiteindelijk Sajala bij de snackbar aan.

'Ik ben ook op het Montessori Lyceum geweest en begin net als jij over een paar dagen, na het weekend. Ik kom in de derde, dus niet bij jou in de klas,' zegt ze. 'Maar we kunnen natuurlijk wel elke ochtend samen naar school.'

'Dat is fijn,' zeg ik. 'Het wordt hard werken. Omdat ik ineens in de tweede begin, heb ik de introductie van natuurkunde, biologie en Duits gemist. Moet je nagaan hoe ver ze al zijn met wiskunde.'

'Ja, dat is veel. Maar wij leren tenminste iets. Bijna alle andere tieners gaan naar de mavo. Zijn ze lekker binnen een paar jaar klaar. Ik snap niet dat onze moeders de enigen zijn die het belangrijk vinden dat we een goede opleiding krijgen.'

'Praat me niet van mijn moeder. Ze is echt een blok aan mijn been. Ze valt me de hele tijd lastig met al haar gevoelens.'

'Laten we even naar buiten gaan.'

We lopen de tuin in en gaan onder het afdakje van de smoking temple staan omdat het regent. Verschillende mensen zitten te roken op bankjes. Ineens biedt iemand ons een sigaret aan. We kijken elkaar aan en nemen er een.

'Kom, we gaan het proberen,' zeg ik. Samen roken we een sigaret. We worden misselijk, maar proberen er daarna nog een. Iedereen krijgt toch een pakje per dag op zijn voucher, dus niemand is er zuinig mee.

's Nachts is er plotseling weer een communemeeting. We horen dat Bhagwan niet wordt vervolgd. Hij moest vierhonderdduizend dollar betalen, onder andere voor boetes. In ruil voor het bekennen van een aantal overtredingen, zoals het in bezit hebben van een verkeerd soort visum, mag hij weg zonder verdere straf. Dat betekent wel dat hij het land uit moet, binnen een week.

Mensen weten niet of ze moeten lachen of huilen. Ze lachen vooral omdat Bhagwan heeft gezegd dat als je de hel wilt ervaren, je dan eens naar Amerika toe moet. Maar ze huilen ook want Bhagwan zal een nieuwe plek moeten vinden – en waar moet hij naartoe? Alles tolt in mijn hoofd. Rajneeshpuram zonder Bhagwan, het is onvoorstelbaar.

Maar Sajala en ik moeten ons concentreren op het Montessori Lyceum. Op onze eerste schooldag halen we 's ochtends eerst onze lunchpakketjes op in Magdalena. Daarna ga ik samen met Sajala naar buiten. Op straat belanden we in de ochtendspits, iets wat ik in tijden niet heb meegemaakt. En het valt me op dat veel mensen ons aanstaren. We pakken de tram tot aan de Hobbemakade. In de Pieter de Hoochstraat houden we even halt; bij de schoolpoort gaan wel heel veel leerlingen naar binnen. Maar erger dan vroeger kan het vast niet worden, zeggen we tegen elkaar. Binnengekomen gaan we ieder onze weg.

Ik heb als eerste Engelse les, van meneer Hobijn. Daarvoor moet ik op de AB-gang zijn, zegt conciërge Simon. Door de doorzichtige klapdeuren zie ik tientallen leerlingen voor lokalen staan wachten. Het is rumoerig, maar als ik binnenkom wordt het doodstil. Iedereen staart naar me. Mijn benen duwen me voort, hoe precies begrijp ik niet omdat ik eigenlijk hard wil wegrennen. De minuten die ik voor het lokaal moet wachten, lijken een eeuwigheid te duren. Zachtjes hoor ik leerlingen over mij fluisteren. Gelukkig komt daar meneer Hobijn.

'Ha Chandra, ik verwachtte je al. Kom maar mee naar binnen.'

Als we allemaal zitten, stelt meneer Hobijn me voor aan de klas en legt uit dat ik een heleboel lessen heb gemist. Ik probeer onzichtbaar te zijn. Wat zal ik nu weer moeten doen om erbij te horen? Gelukkig zit ik naast een jongen die zich hetzelfde lijkt af te vragen.

Hij heet Ilan en omdat ik Sajala nergens zie, brengen we de pauze samen door. Hij rookt en ik rook een beetje mee. School vinden we beiden niet zo interessant, maar wel belangrijk voor later. Pas in de grote pauze zegt hij iets over mijn mala en rode kleren.

'Iedereen is hier een beetje anders, hoor. Het geeft niet. En het ergste, de eerste paar uur, heb je nu gehad.'

Aan het eind van de dag, na een blokuur Nederlands en handenarbeid, sjok ik naar de tram. Sajala is nergens te bekennen. Nog geen tien minuten later ben ik thuis. Maar het voelt alsof ik een uur onderweg ben geweest. Ik heb barstende koppijn en wil meteen naar mijn kamer. Bij de receptie wordt anders beslist; er is vanmiddag dringend extra hulp in Magdalena nodig.

Ik begeef me naar de keuken en doe een schort om. Het is fijn om iets met mijn handen te doen en niet na te hoeven denken.

Door het raam zie ik ineens een grote groep mensen naar me kijken die in de binnentuin staan. Mensen van een jaar of twintig. Ze staren naar mij en ik naar hen.

'Ze zijn van een hbo-opleiding, ze krijgen een rondleiding,' zegt een ma. 'Stelletje gekken, we zijn hier toch geen dierentuin.' Maar een paar mensen lachen vriendelijk naar me.

Na het worshippen zoek ik mijn moeder op en vertel haar kort over mijn eerste schooldag. Ze geeft me een Pop-agenda cadeau.

'Heb je al huiswerk gekregen?' vraagt ze.

'Het is een montessorischool, hè, ik moet zelf een werkschema verzinnen.'

'Doe niet zo bits.'

'Ik ben gewoon moe,' antwoord ik en loop weg.

's Avonds zie ik Sajala op onze kamer. Ze had het leuk gehad op school en al nieuwe vrienden gemaakt. Morgen heeft ze haar eerste uur later dan ik.

Ze hadden haar wel veel vragen gesteld over het sannyasin zijn. 'Maar dat is normaal,' zegt ze. 'In ieder geval zijn mijn klasgenoten allemaal veertien of vijftien. Die begrijpen iets meer. En we hebben filosofie als vak, dus ze zijn gewend om andersdenkenden te accepteren.'

Zonder nog veel te praten vallen we in slaap.

De volgende dag heb ik na weer een afmattende schooldag 's avonds zin om naar de lounge te gaan. Het is er hartstikke druk. Met biertjes en wijntjes en personeel achter de bar is het net een kroeg in de echte buitenwereld. Ik pak een kruk en schuif aan. Er worden grappen gemaakt waar hard om wordt gelachen. Dan komt de Amerikaan bij me staan. Hij ziet er ineens heel groot en breed uit.

'Ga je straks mee naar boven?' vraagt hij.

Eigenlijk heb ik zin om in de lounge te zijn, maar even uitrusten en op een kamer hangen is ook aantrekkelijk. Ik beloof hem er straks op terug te komen. Ondertussen klets ik met Sajala en een paar andere tieners. We praten veel over de Ranch en vragen ons af waar Baghwan nu naartoe moet gaan. Als na een uurtje Sajala met Prem aan de praat raakt en op zijn schoot gaat zitten, komt de Amerikaan weer.

'Ik ga nu naar mijn kamer. Er is daar niemand. Ik zie wel of je zo komt,' zegt hij, en hij gaat weg terwijl hij me een knipoog geeft.

Ik kijk of mijn moeder in de lounge is maar ik zie haar niet. Als mijn drankje op is, besluit ik hem te volgen.

De Amerikaan ligt al op zijn matras als ik binnenkom. 'Kom erbij liggen,' zegt hij.

Ik ga op het matras zitten en kijk hem aan. Ik ga niet zomaar in zijn bed kruipen, denk ik. Dan richt hij zich op en begint hij mijn rug te masseren. Het voelt fijn. We zeggen niks.

Na een tijdje legt hij me neer zodat hij niet alleen mijn rug maar ook mijn benen kan aanraken.

'Je spieren zijn sterk. Je hebt hard gewerkt hè, de laatste tijd. Heeft iemand je weleens helpen ontspannen? Laat je jezelf weleens helemaal gaan?'

Ik blijf stil en staar naar het portret van Bhagwan dat aan de muur hangt.

'Je moet een beetje loskomen, niet zo serieus zijn. Het is oké om te lachen en diep te zuchten. Kom eens hier en laat me je omarmen. Klein meisje toch, wat werk je hard, wat doe je je best. En je bent zo hard bezig met opgroeien en mooi worden. Het is allemaal niet eenvoudig, toch? Kom maar hier, hier ben je veilig.'

Ik wil het niet, ik wil niks voelen, maar het is zo fijn om even weg te kruipen, niets te hoeven. In zijn armen is het veilig, hij begrijpt me, hij ziet hoe ingewikkeld het allemaal is. Wat is hij warm en sterk. Ik barst in snikken uit en hij troost me.

'Toe maar, het is goed zo. Zei ik het niet: je bent een bloem in de knop. Een ongeslepen diamant. Er zijn vast weinig mensen die jou zo zien. Kom maar hier.' En hij legt me nog dichter tegen zich aan. 'Kleine sensuele vrouw, laat me je voelen. Kom, we trekken je kleren uit.'

Ik laat het gebeuren. Ik laat alles maar gebeuren, ik hou

het niet tegen, ik geef hem de leiding. De rest van de avond troost hij me overal. Het gaat als in een roes voorbij.

Een paar uur later loop ik in mijn T-shirt over de gang naar de badkamer. Het is stil, iedereen slaapt. Mijn lichaam voelt raar aan en als ik in de badkamer in de immens grote spiegel kijk, weet ik waarom. Ik ben geen meisje meer. In de spiegel staat een vrouw, denk ik. Een vrouw die net naar bed is geweest met een volwassen man. Ik hoor erbij, hij vindt me mooi, ik ben goed genoeg. En hij heeft me getroost.

Met alcoholspray en de doekjes was ik me. Dan neem ik een douche. Seks, denk ik. Ik weet nu hoe het is en ben niet meer onschuldig. Het is een hoop gedoe en ik vind er niet veel aan. Wat raar dat hier zo veel ophef over wordt gemaakt.

De Amerikaan vindt het niet leuk als ik terugkom en zeg dat ik naar mijn kamer ga. 'Ik ga met je mee,' zegt hij. 'Samen in slaap vallen hoort erbij.'

Ik vind het goed, ik ben te moe om me er druk om te maken en ik heb toch een tweepersoonsmatras. Ik maak me wel zorgen over Sajala, maar die blijkt niet in haar bed te liggen. De wekker zet ik op zeven uur, want ik moet morgen naar school.

De volgende ochtend word ik wakker met een droge keel en de gedachte dat er iets belangrijks is gebeurd. Langzaam sijpelt de werkelijkheid mijn hoofd in en herinner ik me het zweet, de aanrakingen, de volwassen bewegingen. Eindelijk heb ik me laten gaan en stroomt mijn energie zoals Bhagwan dat wil en zoals de andere vrouwen doen. Naast me ligt de Amerikaan. Hij ziet er schattig uit zo, met zijn zwarte krullen. Ik ben nu echt met iemand samen. Ik heb me alleen wel verslapen.

De rust wordt bruut verstoord wanneer mijn moeder ineens mijn kamer binnenstormt.

'Waarom ben je godverdomme niet naar school?' schreeuwt ze uit, en dan ziet ze de Amerikaan. Haar gezicht vertrekt. 'What the hell are you doing here?' Volkomen door het lint foetert en scheldt ze.

De Amerikaan zit rechtop in bed en wrijft in zijn gezicht.

'Ze wilde het, ze is een vrouw, ze mag het zelf beslissen,' roept hij en hij staat naakt op uit bed.

Ik kan niet bewegen, mijn lichaam is van steen en ik voel me zwaarder en zwaarder worden. 'Ik ben haar moeder,' krijst ze, waarop hij terugschreeuwt: 'Alle kinderen hier zijn van de commune. Ze moet het zelf weten, ik heb haar niet gedwongen.' Dan slaat hij zijn handdoek om en verdwijnt. Mij heeft hij niet meer aangekeken.

Mijn moeder kijkt me betraand en hulpeloos aan en ik begin nu zelf ook te schreeuwen.

'Zo is het hier toch, zo gaat het toch hier! Bemoei je er niet mee, ik ben volwassen, over een week ben ik veertien. Je hebt niets meer over mij te zeggen, dan had je me maar niet hier mee naartoe moeten nemen. Alle andere meisjes hebben ook vriendjes. Ga weg, ga mijn kamer uit!'

Het is al laat in de ochtend als ik besluit toch nog naar school te gaan. In de klas kijk ik naar mijn onschuldige en onwetende klasgenoten. Ze snappen er niets van.

Ik ben ineens veel ouder dan zij, bij hen gaat het allemaal om uiterlijk en uitgaan en zoenen. Als ik mijn Pop-agenda doorblader valt mijn oog op een Madonna-foto, 'Like a

Virgin' staat ernaast, 'touched for the very first time.'

De dag gaat snel voorbij. Geen enkel gesprek en geen enkele les blijft hangen. Bij terugkomst in de commune begeef ik me naar de receptie. Naast mij zit een aardige Nederlandse vrouw met wie ik de afgelopen tijd af en toe heb gepraat. Ze kijkt me niet aan en zegt na een lange stilte: 'Ben jij vannacht met mijn vriend naar bed geweest?'

Vriend? Heeft hij een relatie? Heeft hij een vriendin? Ik voel mezelf een stipje worden in een immens grote, draaiende ruimte. Ik was zijn nieuwe project, had hij gezegd, en ik loop kokhalzend naar de wc.

'Hoe was het bij jou?' vraagt Sajala, als we met z'n tweeën in de badkamer staan.

'Ik weet niet, het deed pijn. Is dat altijd zo?'

'Bij mij niet,' antwoordt ze terwijl ze gel in haar haar doet. 'Hij is steeds heel lief. Soms is hij alleen met mij bezig,' giechelt ze.

'En vind je dat fijn?' vraag ik.

'Ik vind die condooms erg naar rubber stinken, jij ook? Maar ik kan heel erg met hem lachen. Jezus, ik ben zó verliefd op hem!'

'Ja, ik ook,' zeg ik, 'maar hij heeft dus gewoon wel een vriendin, hè. Ze hebben nu ruzie.'

'Maar niemand heeft toch echt een relatie hier in de commune,' antwoordt Sajala.

Ik vind het hier in Amsterdam nog veel ingewikkelder dan in Medina. Bhagwan is uit Amerika vertrokken en we weten niet waarheen. Mensen praten over verhuizen, opnieuw beginnen, droppen en vertrouwen hebben – alles door elkaar. Ondertussen heeft mijn moeder het nu met iederéén aan de stok en bazuint rond dat ik met iemand naar bed ben geweest. Ik probeer haar te ontwijken maar kom haar telkens tegen in het gebouw.

'Dit is niet goed, wat je doet,' zegt ze. 'Je moet niet doen wat andere meisjes doen omdat je net zo wilt zijn als zij.'

'Daarom doe ik dat helemaal niet!' roep ik verontwaardigd uit. 'Ik ben toch van de commune! Wij zijn geen kinderen en iedereen is hier onze ouder.'

'Jawel, dat zeggen ze, ja. Dat je mijn kind niet meer bent omdat je nu een communekind bent. Maar ik ben wel je moeder en ik vind dat je niet met volwassenen naar bed moet gaan. Je hebt het toch wel veilig gedaan?'

'Dat gaat je niks aan. Ik wil het er niet over hebben,' en met mijn kin in de lucht kijk ik haar aan.

'Ik wil het er wél over hebben. En ook over hoe het hier verder is. Misschien heb ik een fout gemaakt.'

'Ik hoef het niet te horen,' onderbreek ik haar verhaal, maar ze gaat toch verder.

'Toen ik een paar dagen weg was, kon ik heel goed zien dat dit geen goede plek voor ons is. Ik denk dat ik een huis voor ons ga zoeken.'

'Doe niet altijd zo moeilijk!' roep ik en loop snel weg.

Ik kom de Amerikaan tegen op de gang. Sinds die nacht heb ik hem gemeden.

'Je hebt het allemaal verkeerd begrepen,' zegt hij. 'Het maakt niet uit of ik een vriendin heb.'

'Dat maakt wel uit. Het maakt haar ook wat uit.'

'Toch kunnen we beter niet meer afspreken. Tenminste, dat lijkt me maar het beste. Gezien de houding van je moeder en zo. Zoek liever iemand anders om bij uit te huilen.'

Dan loopt hij weg. Vol ongeloof staar ik hem na.

Sajala heeft meer succes met Prem, vertelt ze. Hij is nog steeds verliefd op haar. Niet dat hij niet geïnteresseerd is in andere vrouwen. Een van zijn vriendinnen komt binnenkort terug uit het buitenland. Sajala weet niet wat er dan gaat gebeuren. 'Dan zal het wel stoppen,' zegt ze. Inmiddels heeft zij ook een andere swami op het oog. Een Duitser stuurt haar steeds liefdesgedichten via de message box. Hij is heel knap.

Sajala heeft plezier op school maar mij kan het allemaal niet zo boeien. De volgende dag stap ik bij de Albert Cuyp uit de tram en loop in plaats van naar school naar het Weteringcircuit. Uren zit ik op een bankje. Ik eet mijn lunch op en staar naar de duiven. Ik wil niet thuis zijn, en ook niet op school. Ik wil nergens zijn. Als er na een tijd twee politieagenten aankomen, sta ik op uit angst dat ze me oppakken voor spijbelen. In de regen ga ik terug naar de commune.

Op vrijdagavond gaan Sajala, mijn moeder en ik naar Zorba want om twaalf uur word ik veertien. Mijn moeder heeft gezegd dat we het toch moeten vieren, ondanks het feit dat we tegenwoordig altijd ruzie hebben. We gaan er met een communebusje naartoe. Buiten op de Oudezijds Voorburgwal staat een enorme rij, want Zorba is de populairste disco van Amsterdam; in een boekje over disco's staan we op de eerste plaats. Gelukkig hoeven we niet te wachten en we mogen bovendien zonder betalen naar binnen. Het is afgeladen vol met gewone mensen.

We hebben een heerlijke avond en dansen op 'Part Time Lover' van Stevie Wonder. Omdat de dj's in de commune wonen kunnen we alle nummers aanvragen die we willen en we krijgen alle drankjes gratis. Bezweet en uitgelaten gaan we om een uur of één weer naar huis.

In de lounge, waar ik met Sajala nog even ga kijken of Prem er is, kom ik de Duitser Gopal weer tegen. Verderop zit de Amerikaan, maar we kijken elkaar niet aan.

'Je hebt niet gereageerd op mijn boodschap in de message box,' zegt hij.

'Ik had het te druk.'

'Ja, jij hebt het altijd maar druk. Heb je zin om mee te gaan naar mijn kamer? Ik heb nog twee stukjes pizza over van het avondeten.'

Zonder erover na te denken volg ik hem naar zijn kamer. Ik ben veertien, wat kan mij het schelen?

We hebben opeens een hijger die een paar keer per dag de receptie belt. We lossen het op door een aardige swami op te laten nemen. 'Ja, rukt u maar,' zegt hij.

Op onze kamer schrijven Sajala en ik in onze dagboeken – er is genoeg om over te schrijven – en doen soms huiswerk, hoewel we beter kunnen werken in het kantoor. Aan veel dingen die in de commune plaatsvinden doen we niet mee. Zo gaan we niet naar de Bhagwan-lezing in Mandir, noch doen we meditaties waar overigens vooral niet-sannyasins op afkomen.

Ondanks alle nare verwikkelingen en Bhagwans vertrek en de zorg om de Ranch, wordt er door de commune een groot besloten feest georganiseerd in Zorba ter ere van Bhagwans verjaardag. Het is en blijft een bijzonder talent van sannyasins, vind ik, om ook van de vreemdste situaties nog een celebration te maken. Eigenlijk vind ik het wel leuk als er ook eens speciaal iets voor de kinderen wordt gedaan. Als ik dit opper bij een ma die de leiding heeft over de receptie, zegt ze dat ik dan maar een kinder-festival moet organiseren.

Zo gezegd, zo gedaan. We nodigen alle kinderen uit die niet in de commune wonen. Met Sajala bedenk ik wat we zouden kunnen doen. We komen op dansjes en het opvoeren van sketches. Niet alle kinderen en tieners blijken mee te willen doen, wat ik wel begrijp want ik wil liever ook niet op het podium. Gelukkig zijn er twee gekke Engelse swami's op bezoek met wie je erg kunt lachen. Zij willen wel wat stukjes maken. Een van hen gaat 'I Want To Marry a Light House Keeper' zingen. Sajala belooft 'Like a Virgin' van Madonna te playbacken en op te voeren. In een leeg gedeelte van het kantoor oefenen we. Soms proberen we op de karaoke-machine in Mandir de liedjes uit. Ik maak een schema en tel de minuten. Het programma zal ongeveer een halfuur duren. We hebben enorme lol.

Na een van de repetities in het kantoor zijn Sajala en ik nog in een feeststemming. Dansend en een gettoblaster dragend, zigzaggen we tussen de bureaus door. De swami die ons verlost had van de hijger zit nog te werken en we dansen ook om hem heen. Sajala en ik doen de sexy Madonna-choreografie vlak voor zijn neus. Maar de swami ziet er de lol niet van in.

'Jullie maken me zenuwachtig. Jullie zijn nog geen vijftien. Gedraag je daar ook naar.'

We lachen hem uit en zeggen: 'Maar alle mannen vinden ons sexy, ben je homo of zo?' en 'Kijk nou maar naar ons.'

Dan wordt de swami een beetje boos: 'Ga weg en doe iets nuttigs.'

Verbouwereerd vertrekken we.

Vlak voor het feest horen we dat de Ranch officieel gesloten is. Het komt aan als een schok, terwijl het ook te verwachten was. Het schijnt dat veel sannyasins hun koffer pakken. 'Het is het einde van een tijdperk,' hoor ik om me heen. Ik denk aan alle dagen dat ik er geweest ben. Wat zal er overblijven van onze stad? Wat zal er gebeuren en waar zal de nieuwe grote commune komen? Het is zonde, de Ranch was een paradijs, een groot wonder. Niemand, behalve Bhagwan en wij, zijn sannyasins, heeft dit ooit eerder geprobeerd. Nu moeten we op een andere manier verder. Arme Pradeesh, die maakt het allemaal van dichtbij mee.

Gelukkig is er het feest. Het kinderfestival is een succes. Van het publiek krijgen we een enorm applaus. Tegen de afspraak in word ik aan het eind het podium opgehesen en aangekondigd als de drijvende kracht achter onze show. Iedereen complimenteert me, inclusief mijn moeder. Ik heb eindelijk weer iets gedaan wat zin heeft.

Op school begin ik mijn draai een beetje te vinden, vooral omdat de leraren me aardig vinden. Mijn klasgenoten en andere scholieren kijken niet meer zo gek naar mij en ik maak zelfs een paar vrienden. Omdat ik geen zakgeld heb en Ilan me in de pauze vaak trakteert op thee en lekkere dingen, nodig ik hem uit om in de commune langs te komen. Hij kijkt zijn ogen uit en vindt het erg schoon en gezellig. Het is de eerste keer dat ik iemand van buiten meeneem. Soms ga ik ook mee naar zijn huis waar ik de ene na de andere boterham met vleesbeleg eet omdat we dat in de commune niet hebben.

In de kerstvakantie probeer ik overdag wat huiswerk te maken. 's Avonds heb ik met Deepak, een van de jongens, bardienst in de lounge. Ik leer biertjes tappen en sterke drank schenken. Regelmatig plunderen we de voorraad-kast, vol met marsen, bounty's, snickers en sigaretten. Het is gezellig om de hele commune om ons heen te hebben, al gaan de gesprekken vaak over de vraag of de commune nog lang zal bestaan. Een keer hebben we zelfs een groot Grieks feest in de bar, omdat het bericht kwam dat Bhagwan in India geen visum kan krijgen omdat ze hem daar niet meer willen en hij misschien naar Griekenland gaat. De rest van de tijd brengen we in de kapel door met de andere tieners of rokend in de smoking temple.

Deepak is verliefd op Sajala, maar hij klaagt dat zij alleen oog heeft voor de wat oudere mannen. Zij is nu niet meer met Prem maar met Shunyo. De jongens hebben geen interesse in oudere vrouwen maar in ons, en de oudere vrouwen kijken niet naar de jongens om.

Oud en nieuw komt eraan en daarom wordt er weer een groot feest georganiseerd in Zorba. Iedereen is van plan ernaartoe te gaan. Er hoeven maar twee mensen achter te blijven om de commune te bewaken. Het feest trekt mij niet. Mijn moeder is in Leiden bij haar vriend en het lijkt me heerlijk om een keer alleen te zijn.

Ik blijf achter en het duurt nog heel lang voordat iedereen weg is. Het busje rijdt vijfentwintig keer heen en weer.

Ons grote gebouw ademt een andere sfeer nu het leeg is. Ineens lijken de gangen me te eng om doorheen te slenteren. Op mijn kamer slaap ik een uurtje. Rond twaalf uur ga ik naar het dak. De twee andere sannyasins die zijn achtergebleven bij de receptie staan er ook. We kijken naar het vuurwerk dat over Amsterdam losbarst. Ik ben benieuwd hoe 1986 gaat worden.

Sajala en ik hebben in de commune Bindu leren kennen, een jongen van eind twintig die goed gitaar speelt. Bindu zingt liedjes en begeleidt zichzelf en dat doet hij overal; in de lounge, op de gang, in de snackbar. Je ziet hem zelden zonder zijn gitaar.

Bindu doet mij een voorstel als ik met hem en Sajala zit te praten over de problemen met mijn moeder omdat we altijd ruzie hebben.

'Als jij wilt blijven, dan kun je toch beslissen niet met haar mee te gaan? Je bent een communekind, dus jij beslist zelf.'

'Ja, maar ze is mijn moeder en ze heeft het recht om over mij te beslissen,' antwoord ik.

'Dan geef je mij toch de voogdij. Dan kan ze je niks meer maken. Ik doe het zo, hoor.'

Ik weet het niet. Het lijkt me nogal ver gaan. Uiteindelijk is mijn moeder gewoon mijn moeder, wat ze ook doet.

'Bedankt voor het aanbod,' zeg ik tegen hem. 'Als ik er gebruik van wil maken, laat ik het je wel weten.'

Voor mezelf heb ik al besloten nooit en te nimmer iemand zomaar mijn voogd te laten worden. Al is het misschien de enige oplossing om te voorkomen dat mijn moeder me weer van hot naar her sleept.

Ik dacht dat mijn moeder, de situatie van Bhagwan, school en seks met mannen het ingewikkeldste in mijn leven was, maar plotseling heb ik met een gemillimeterde lesbienne te maken. Zij werkt in Zorba bij de kiosk waar ze sieraden verkoopt. Als ik haar zie, maakt ze een praatje met me en geeft me complimenten. Gaat alles nou over seks, vraag ik me af als ze over mijn borsten begint. 'Ik ben niet lesbisch,' zeg ik om van haar af te zijn, maar een paar dagen daarna blijkt zij daar anders over te denken.

Het is een uur of zes 's ochtends als ik wakker word doordat er ineens iemand mijn bed in kruipt. Het blijkt de lesbienne te zijn. Ze frummelt aan mijn onderbroek en zit met haar hoofd onder de dekens.

'Hé, wat doe je daar?' roep ik.

Ze kijkt me aan en zegt: 'Wacht maar af, je zult dit heel lekker vinden.'

'Over een uur moet ik opstaan om naar school te gaan,' pareer ik, maar ze gaat stug door mij te betasten.

Ik moet me van haar afdraaien om onder haar greep vandaan te komen en als ik nog een keer zeg dat ik helemaal niet met een vrouw wil zijn, zegt ze dat eigenlijk iedereen biseksueel is.

'Je zult de volgende keer wel ontdekken hoe fijn het is, go with the flow, je bent zo geremd.'

'Je bent zo geremd,' herhaal ik in mijn hoofd als ik later het schoolplein op loop. Hier lopen allemaal kinderen van veertien die net met hun ouders hebben ontbeten en die een normaal leven leiden. Ze maken zich zorgen over hun proefwerken of over een pukkel, niet over of je geremd bent als je niet met een 35-jarige lesbienne naar bed wilt voordat je schooldag ook nog maar begonnen is.

Als ik mijn moeder weer tegenkom en ze opnieuw over weggaan begint, probeer ik het voogdijdreigement niet te gebruiken. Maar als ze vertelt dat ze met haar vriend twee weken met vakantie gaat naar Madeira, wat ik asociaal vind tegenover de commune, houd ik me niet meer in.

'Wat je ook van plan bent, ik kan hier blijven als ik wil. Communekinderen zijn van iedereen. En als jij je eigen plannen maakt, doe ik dat ook. Iemand heeft me aangeboden om mijn voogdij op zich te nemen. Dan ben ik lekker van je af en kan ik gewoon blijven.'

Mijn moeder trekt wit weg en wordt ontzettend boos. 'Wie heeft dat aangeboden? Een swami zeker!' gilt ze.

'Dat is niet belangrijk. Het is iemand die snapt dat ik hier hoor. Hij zegt dat we echte communekinderen zijn.'

'Zie je wel, een swami. Hij wil je zeker in zijn bed krijgen.'

'Dat is niet waar. Hij is heel serieus. Hij speelt liedjes voor ons en verder doet hij niks.'

'Aha, het gaat dus om Bindu. Ik ga hem direct vertellen dat hij niet zomaar de voogdij van een kind kan overnemen. Wat denkt hij wel, ik ben je moeder.'

'Ja, maar wel een moeder die zomaar met vakantie gaat. En die me van hot naar her sleept,' roep ik haar na terwijl ze woedend wegloopt.

Ik ben zelf ook buiten zinnen en rook een sigaret in de smoking temple. Het is koud. Ik bekijk het gebouw waarin we wonen. Het stelt eigenlijk niet zoveel meer voor. De groep is uiteengevallen en zo saamhorig als het in het begin was, voor ik naar Medina ging, is het niet meer geweest. Elke dag vertrekken er mensen of komen er sannyasins uit andere communes bij. Maar het is hier nog altijd beter dan god-weet-waar met mijn moeder.

Als ik weer binnenkom, staat mijn moeder met Bindu te ruziën bij de receptie. Ze letten niet op mij. Ik snap ze wel. Hij wil me gewoon helpen en zij is woest. Ik meng me er niet in en zoek mijn kamer op.

Voordat ze vertrekt zegt mijn moeder nog tegen me dat ze lang heeft nagedacht over ons. Ze snapt dat ik me tegen haar verzet, zegt ze, en wacht op het moment dat ik het met haar eens ben dat we hier weg moeten. Ze is lief en probeert het duidelijk goed te maken. Maar voorlopig hoeft ze niet op me te rekenen.

Ik krijg nu ook ineens liefdesgedichten van Shunyo en dat vindt Sajala niet leuk, al ben ik niet eens in hem geïnteresseerd. In de message box zit steeds vaker post. Laatst van een van de therapeuten, die schrijft: 'Chandra, je bent zo lief en je lichaam is zo mooi, het is jammer dat je al met iemand bent, liefs van Sudhas.' Sajala en ik bespreken alle briefjes. Als we ze moeten geloven, zijn we een soort topmodellen.

Ik ben niet echt met iemand zoals Sudhas denkt. Soms, als Sajala er niet is, spreek ik weleens af. Maar ik hoor bij niemand. Overigens is er op school een jongen die ik leuk vind. Hij zit bij mij in de klas en heet Kasper. We kletsen vooral over Ajax. Misschien is het toch een beter idee me op de jongens van mijn school te richten, want je kunt meer op ze rekenen. Al vind ik ze heel onvolwassen en kun je ze niet mee naar je huis nemen als je in een commune woont.

Het blijkt dat Nico Haak een carnavalskraker over ons heeft gemaakt. We luisteren ernaar op de radio bij de receptie. De hit heet 'Alles mag man, van de Bhagwan' en is best grappig, al houd ik helemaal niet van carnaval. Nico Haak zingt: 'Rozegeur en maneschijn, oekoeboeroe, roetoegoeru, alles mag, en dat is fijn, wil je eraan tillen, til dan niet te zwaar, alles, alles, alles mag, dat is voor elkaar, alles mag man, van de Bhagwan, is dat niet wonderbaar?'

Nico Haak drijft de spot met ons, maar wij drijven weer de spot met hem door zijn nummer vaak en hard te draaien. Ook in Zorba zetten ze het nummer elke avond op.

Eigenlijk is Nico Haak helemaal niet negatief over ons.

Mijn receptiewerk vind ik nu minder leuk omdat we niet meer met het telexapparaat mogen spelen. Er zijn gigantisch hoge rekeningen binnengekomen die niet door het normale telexverkeer kunnen worden verklaard. Amrita, Sajala en ik kregen op onze kop. Jammer, want ik had leuk contact met een swami in de commune in Keulen met wie ik veel heen en weer schreef over onze dagelijkse beslommeringen.

Misschien is het goed dat ik mijn worship minder leuk vind, want ik moet eigenlijk vaker aan mijn huiswerk zitten. Ik kan me beter maar goed op school concentreren want het jaar vordert gestaag en ik heb in alle vakken achterstanden. Alleen Nederlands en geschiedenis vind ik echt leuk omdat ik leuke leraressen heb, om de andere vakken geef ik niets.

Mijn vader, die ik af en toe opbel, vindt dat ik meer aandacht aan wiskunde moet besteden. Maar dat komt misschien ook omdat hij zelf wiskundeleraar is. Hij vraagt wanneer ik weer eens kom logeren. Ik hou het af; het is veel te ingewikkeld om te gaan. Ik heb geen zin hem te vertellen over de dingen die hier gebeuren. Daar zou hij niets van begrijpen, volgens mij.

Als mijn moeder terugkomt van vakantie, zegt ze dat ze nu zeker weet dat ze zo snel mogelijk de commune uit wil. Ze gaat rondkijken voor een huis in Amsterdam, zegt ze. Als ze zo graag weg wil, dan kan ze toch gewoon mijn koffer inpakken en mij meesleuren? En dat doet ze telkens niet. Ze wil dat ik vrijwillig met haar meega omdat ik inzie dat ze gelijk heeft. Maar er is geen gelijk. We denken er gewoon totaal anders over. Wat heb ik er mee te maken dat ze een fout heeft gemaakt door naar de commune te verhuizen? Ik heb alles gedaan zoals het hier hoort. Strikt genomen kan ze over mij niet klagen.

Toch is het fijn om mijn moeder weer te zien en ze doet haar best lief voor me te zijn. Alleen zal ik aan het langste eind trekken, want ze vindt heus niet zomaar een huis in Amsterdam: er is gelukkig enorme woningnood.

Maar op een dag vind ik een briefje bij mijn bed. De volgende ochtend wil ze met mij een huis gaan bekijken in de Bijlmer. Het is een tweekamerappartement in Gein, vlak bij twee ma's die al verhuisd zijn. Ik moet er niet aan denken, elke dag met de metro naar school.

Ik weiger dan ook met mijn moeder mee te gaan. Gelukkig gaat het huis niet door, iemand anders heeft het voor haar neus weggekaapt, vertelt ze. Maar een week later komt ze met de boodschap dat ze een ander huis heeft gevonden. Een driekamerappartement in Reigersbos. Ze is zelf al gaan kijken omdat ze weet dat ik toch niet mee wil, en heeft het huis genomen. Dat is op zich een wonder, want het huis was eigenlijk voor iemand anders bestemd. Mijn moeder had de woningbouwvereniging gebeld waarna ze mocht langskomen. 'Ik sta met mijn dochter op straat,' had ze gezegd. Toen ze in het kantoor een potje was gaan huilen, hadden ze haar dit huis aangeboden. De brief waarin stond dat de andere mensen het huis konden krijgen, die al klaar lag voor de PTT, werd ter plekke verscheurd. Over een week kunnen we erin.

Nou, al schreeuwt ze de hele commune bij elkaar, ik ga niet met haar mee. Ik ga niet in de Bijlmer wonen omdat zij dat ineens in haar hoofd heeft gehaald. Mijn moeder zoekt het maar uit.

'Maar wat ga je dan doen?' vraagt Sajala. 'Je kunt hier toch ook niet alleen achterblijven?'

'Waarom zou dat niet kunnen? Jij bent hier toch ook?'

'Ja, maar mijn moeder is hier. Die hoeft nog niet weg. Ze denkt er af en toe over, dat wel.'

'Nou in ieder geval kan ze de boom in. Ze beslist niet alles in haar eentje. We zijn volwassen.'

Maar Sajala en ik zijn er niet echt over uit wat ik precies moet doen. In elk geval laten we elkaar nooit meer gaan, spreken we af.

Met Bindu praat ik niet meer over de voogdij. Hij zingt vooral liedjes, en nu het ernaar uitziet dat de commune misschien niet lang meer zal bestaan, zingt hij vaak het nummer 'It's a Wild World'. We zitten op de gang en voelen ons nostalgisch. Sajala en ik leunen tegen elkaar aan. Bindu heeft zijn gitaar op zijn schoot. 'Oh, baby baby, it's a wild world. It's hard to get by, just upon on a smile, girl,' zingt Bindu voor ons. 'But if you want to leave, take good care, I hope you meet a lot of nice friends out there, but just remember there's a lot of bad everywhere.' Sajala en ik moeten allebei een beetje huilen. Dit is nou precies het gezellige van de commune, denk ik. Samen muziek maken en allemaal hetzelfde voelen. Dat gebeurt thuis nooit.

'Ga je vrijwillig mee, of moet ik je meesleuren?'

Mijn moeder staat aan het tafeltje waaraan ik zit te lunchen.

'Als je vrijwillig meegaat, zie ik je over een kwartier op je kamer. Zo niet, dan vind ik je wel.'

Alsof er niets is gebeurd, eet ik mijn lunch op. Maar dan bedenk ik dat mijn moeder misschien wel in mijn kamer aan het rommelen is, waar ook mijn dagboeken liggen.

Snel ren ik naar boven. Mijn moeder staat inderdaad met haar handen in mijn kast te graaien. Ik zie mijn koffer op de grond liggen. Er zitten al wat spullen in.

'Heb je besloten zelf mee te gaan, of moet ik je dwingen? Het huis is schoon, we kunnen er zo in. Ik heb mijn auto weer opgehaald, over een halfuur rijden we ernaartoe. Je spullen zijn over tien minuten ingepakt. Het is nu echt voorbij.'

Hoe ik het ook probeer, de wil om terug te vechten is er niet. Ik voel me lamgeslagen. Ik voel dat de commune uit elkaar valt, dat iedereen twijfelt. Bhagwan reist de hele wereld over en we hebben geen Ranch meer. Het kost me een uur om te acclimatiseren als ik van school terugkom en weer moet wennen aan de mores thuis. Iedereen wil wat van me, ik ben bekaf van het nadenken, mijn leven is te ingewikkeld. Misschien is het fijn om een eigen huis te hebben waar ik van niemand last heb. Ik geef op. Mijn moeder zal over een paar minuten mijn spullen in de auto zetten, niemand die haar nog tegenhoudt, ook ik niet. Het is onmogelijk nu nog die voogdij-aanvraag te doen. Wat moet ik met die Bindu en zijn gitaar die dan voor mij gaat zorgen?

Ik laat mijn moeder alles inpakken terwijl ik tegen de muur aanhang. Maar als ze het matras ook wil meenemen, protesteer ik.

'Die is van de commune.'

'Misschien wel, maar we hebben genoeg aan de commune betaald. Kom op, help me even.'

Ik draag de matras alle gangen door, samen met mijn moeder. We stoppen hem in de auto. Als ik op straat sta, komt Sajala naar buiten.

'Ga je? Zie ik je maandag op school?'

Terwijl mijn moeder mijn koffer haalt, spreken Sajala en ik af voor de grote pauze op maandag. 'Maar misschien loop ik wel weg voor die tijd,' zeg ik tegen haar. Ik ga niet meer mee naar binnen voordat we richting de Bijlmer rijden.

Kroketten bij Keyzer
1986 De Bijlmer

De eerste maand is het een zootje in ons nieuwe huis. De flat is verre van ruim en mijn moeder verzamelt snel veel spullen om zich heen. Ik heb niet veel. Hoewel mijn kamer kleiner is dan die in de commune, is hij praktisch leeg.

Mijn moeder en ik hebben voortdurend ruzie. We bekvechten overal over. Ze is ten einde raad, zegt ze tegen me.

'Als je niet snel ophoudt met al dat verzet, verhuizen we naar een plek waar ik graag wil wonen en ga je daar maar naar de mavo. We wonen in Amsterdam voor jou, zodat je niet van school hoeft te veranderen.'

We wonen hier helemaal niet voor mij, we wonen hier omdat jij de commune in wilde en er toen meteen weer uit wilde, schrijf ik in mijn dagboek.

Het is enorm wennen om weer een huishouden te hebben voor twee mensen. Geen grote pannen, geen vastgestelde tijd waarop je moet eten, geen hordes mensen. Soms zitten we op de bank en kijken we televisie, net als vroeger. We kopen nieuwe kleding, bijna niets ervan heeft een rode kleur. Mijn moeder draagt soms haar mala nog, maar ik nooit.

Af en toe ga ik op bezoek in de commune. Maar het is er stukken minder leuk. Vrijwel iedereen gaat weg en de helft is al vertrokken. Zelfs Sajala en haar moeder zoeken woonruimte. Het lijkt erop dat ze bij ons in de buurt komen wonen.

De Bijlmer, of 'Amsterdam-Zuidoost' zoals mijn moeder wil dat ik het noem, is geen leuke plek om te wonen. Met de metro en de tram duurt het ruim drie kwartier voordat ik op school ben, en vrienden van school willen niet mee naar mijn huis omdat het zo ver weg is. En het is ook een beetje gevaarlijk. Maar toch raken mijn moeder en ik al gewend aan de buurt. We hebben zelfs weer een huisarts gevonden.

Op een dag, na een zoveelste ruzie, hebben mijn moeder en ik een lang gesprek. Ze vraagt me wat ik vind van onze tijd in de commune. Daar is moeilijk antwoord op te geven. Ik begrijp dat ze het wilde proberen en ik heb mijn best voor haar gedaan. Zij minder voor mij, vind ik.

'En die mannen?' vraagt ze.

'Dat had ik liever niet meegemaakt,' zeg ik. 'Van nu af aan ben ik gewoon weer maagd. Ik ga het op mijn eigen manier doen.'

Daar is mijn moeder blij om. Zo blij, dat ze de rest van de avond gezellig met mij op de bank wil zitten, dicht bij elkaar.

Sajala komt in de buurt wonen. Het is tien minuten fietsen. We eten vaak bij elkaar en doen dansjes op 'Into The Groove' van Madonna. We halen ook kattenkwaad uit, zoals het stelen van tientallen zilverkleurige armbanden bij de Hema. We maken elkaar op, praten over de jongens op school en gaan winkelen. Soms gaan we uit in Zorba en dan nemen we de nachtbus terug.

Na het vertrek van Sajala en haar moeder is de commune opgedoekt. Aan een kant van het gebouw blijven nog wat mensen wonen. De rest van de sannyasins gaat terug naar zijn eigen land of verhuist naar de Bijlmer. Pradeesh komt terug, die nog een tijd met zijn moeder in Californië heeft gewoond. Af en toe zijn er feestjes waarop iedereen elkaar weer ziet.

Bhagwan maakt een gigantische wereldreis. In wel vijftien landen probeert hij een visum te krijgen, zelfs in Nederland, maar hij mag nergens wonen. Alle regeringen zijn bang voor een gigantische commune vol mensen en wapens. Uiteindelijk mag hij toch India in en start hij de ashram opnieuw op. Hij neemt zelfs een nieuwe naam: Osho. De *Rajneesh Times*, die nog een tijdlang gemaakt wordt, staat er vol van. Maar ik lees het niet. School is nu het belangrijkste en mijn nieuwe vrienden en vriendinnen.

Mijn vader is inmiddels gescheiden en werkt in Amsterdam als wiskundeleraar. Omdat ik filosofie als eindexamenvak heb en hij daar erg van houdt, spreken we vaak af in Keyzer naast het Concertgebouw en praten we over filosofie terwijl we kroketten eten. Hij vraag wanneer ik mijn oude naam ga terugnemen, maar dat is, hoewel ik het wel wil, lastig omdat ik op school Chandra heet en iedereen me zo kent.

Mijn moeder neemt wel haar oude naam terug en het kost vrienden maanden voordat ze eraan gewend zijn. Mijn oma is er erg blij mee, hoewel ze haar nooit Rupi genoemd heeft. Het is een moeilijke tijd, mijn moeder krijgt borstkanker en verliest een borst. Als dat me te veel wordt, loop ik weg van huis en ga ik naar Sajala. Maar een dag later ben ik alweer thuis. Mijn moeder en ik ruziën veel en ik ga jong uit huis, nog voor mijn eindexamen, want we zitten op elkaars lip en hebben samen niet goed kunnen aarden in onze flat. Mijn vertrek doet onze relatie goed.

Hoe hecht het sannyasin-wereldje na al die tijd nog is, blijkt wanneer op het NOS-journaal in 1990 plotseling wordt gemeld dat Bhagwan is overleden. Meteen staat de telefoon roodgloeiend. 'De seksgoeroe Bhagwan Shree Rajneesh is in India gestorven aan een hartstilstand,' zegt Joop van Zijl.

Mij doet het niet veel. Al vind ik dat de term 'seksgoeroe' hem geen recht doet. Uiteindelijk had hij misschien het beste met ons voor en probeerde hij een nieuwe wereld te stichten. Ook al is het mislukt, hij heeft het tenminste geprobeerd. Dat mag. Ik heb van Bhagwan gehouden sinds hij op mijn zesde zo om mij moest lachen, maar niet meer dan van een opa. Er zijn genoeg sannyasins die hem vreselijk missen, die andere goeroes zoeken of nog altijd vinden dat ze naar India moeten gaan. En ik kan me, door de bladzijde om te slaan, op mijn eigen leven richten en mijn dromen proberen waar te maken.

Korte geschiedenis van de Bhagwan-beweging

In 1978 is Bhagwan Shree Rajneesh, oorspronkelijk Rajneesh Chandra Mohan, al behoorlijk bekend als Indiase goeroe. Zijn ashram in Poona is een drukbezocht spiritueel centrum, een oase te midden van de Indiase armoede. Met zijn mooie paden en prachtige tuinen is de ashram een paradijs waar sannyasins zichzelf kunnen ontdekken in het net aangebroken ik-tijdperk. 'Geef je aan mij over en ik zal je transformeren,' zegt Bhagwan, 'ik ben de poort.' De poort leidt naar verlichting, de hoogste staat van bewustzijn.

Velen komen af op de bijzondere combinatie van westerse psychologie en oosterse spiritualiteit die Bhagwan (letterlijk: 'de gezegende') biedt. Bhagwans charisma en eruditie zijn voor talloze mensen onweerstaanbaar; door sommigen wordt hij zelfs een superpsychiater genoemd die een utopische, taboeloze commune leidt waar persoonlijke vrijheid wordt gepropageerd. Een magische aantrekkingskracht wordt hem toegeschreven. Vaak vertellen sannyasins hoe Bhagwan hen 'geroepen' heeft en een bijna bovennatuurlijke kracht ze naar India heeft doen reizen.

Bhagwan, geboren in een Indiaas dorp in 1931 en oorspronkelijk hoogleraar in de filosofie, gaat uit van het boeddhisme en hindoeïsme, behandelt alle grote thema's zoals politiek en religie en citeert in zijn lezingen de wereldliteratuur – al is hij niet altijd consequent in zijn uitspraken. Bhagwan noemt en roemt wijsgeren, filosofen, mystici en politici en lijkt van alle markten thuis. Voor veel Amerikanen, West-Europeanen en Japanners heeft hij het antwoord op de vraag waarom ze ter wereld zijn gekomen. Het zijn vooral intellectuelen, 'goeroe-shoppers' en hoogopgeleiden, veelal komend uit de new age-beweging, die naar Poona komen. Ook artiesten, beroemdheden en muzikanten zoals de Duitser Deuter en de Japanner Kitaro, worden sannyasin, tot en met een achterneef van prins Charles. Zelfs Diana Ross brengt een bezoek aan Bhagwan.

Alle afdelingen en gebouwen in de ashram en in Bhagwans latere communes worden vernoemd naar zijn favoriete denkers en alles ademt de sfeer van zen; er zijn hagelwitte vertrekken, er is strikte hygiëne, veel aandacht voor esthetiek en Bhagwan zelf draagt eenvoudige, mooie gewaden.

Naast meditaties en lezingen wordt geïnteresseerden een keur aan bezigheden geboden die niet zo gemakkelijk elders beschikbaar zijn. Wie dieper in zichzelf wil duiken en zijn ego wil afbreken om verlichting te kunnen bereiken, kan encounter-groepen volgen, waarbij door maatschappij en familie opgelegde conditioneringen worden afgeleerd. Daarnaast kan men tantra-groepen volgen waarin seksuele energie getransformeerd wordt tot spirituele energie. Niet zelden gaat het er tijdens deze sessies hardhandig aan toe of gaan ze gepaard met seks. In het nabijgelegen ziekenhuis, waar mensen na een workshop soms met gebroken botten moeten worden opgenomen, zou men bekend zijn met het eufemisme 'van de trap gevallen in de ashram'. Bhagwan staat al snel te boek als 'the guru of the vagina'.

De organisatie van de ashram is in handen van vrouwen, aan wie Bhagwan de voorkeur geeft. Zo zijn er Vivek, Bhagwans vriendin vanaf 1973, en Laxmi, die tien jaar lang zijn persoonlijke secretaresse is. In 1975 betreedt Sheela het toneel en zij richt de Rajneesh Foundation op.

Iedere sannyasin wordt officieel met naam en toenaam geregistreerd. Dit betekent dat ook van elke ontvangen of verstuurde brief melding wordt gemaakt. Alle brieven krijgen de aanhef 'Love' en worden afgesloten met de woorden 'His blessings'.

Zakelijk gezien is de ashram een goudmijn. De kosten voor de entree, het eten, de groepen en workshops liggen ver boven de Indiase prijzen. Al komt het meeste geld voort uit vrijwillige donaties, er wordt niet geschroomd enorme giften (een miljoen dollar komt veelvuldig voor) bij rijke sannyasins op slinkse wijze af te dwingen, zo wordt verteld.

Wat op het eerste gezicht begint als een ideologische groep mensen met een gezamenlijk doel, een spiritueel pad volgen, wordt langzaam een geoliede machine. Structuur, regels en werkdiscipline worden belangrijk om de gestaag groeiende groep sannyasins in enige orde met elkaar samen te laten leven. Ongeveer drieduizend mensen wonen in en vooral rondom de ashram en tijdens feestdagen, zoals de verjaardag en verlichtingsdag van Bhagwan, komen daar nog eens duizenden bij.

De rode kleren – die symbool staan voor de 'dageraad' – zijn te koop in de ashramwinkel en zijn niet aan te slepen. Er wordt een pr-afdeling opgericht, restaurants en een gezondheidscentrum worden geopend en er worden sieraden, zelfontworpen kleding, tapes en boeken van Bhagwan verkocht.

Van Bhagwan lijkt een speciale energie uit te gaan waarin liefde en persoonlijke groei tot volle wasdom kunnen komen. Het leven in de ashram is intens, heftig en snel. Ook is er een absoluut vertrouwen dat alles wat met Bhagwan te maken heeft, goed is. Moet een voormalig architect de wc's schrobben, dan wordt er van deze sannyasin verwacht dat hij 'één wordt met de wc-borstel', want ook werk is een meditatie.

Eigen instincten en gedachten krijgen geen voorrang meer, want die horen bij het ego en worden gezien als een barricade op weg naar verlichting. Kritiek en negativiteit zouden zelfs slecht zijn voor Bhagwan en de commune. Een echte sannyasin, zo lijkt het, wil zoveel mogelijk in de buurt zijn van zijn leraar en in totale overgave ('be total') alles voor hem doen. Gebeurt er iets nadeligs, dan komt dat voort uit de sannyasin zelf.

Sommige mensen keren alleen terug naar het westen om geld te verdienen om vervolgens weer zo vlug mogelijk naar Poona terug te gaan, of ze nemen baantjes aan waar snel geld mee te verdienen valt, waaronder prostitutie en drugssmokkel, zo wordt beweerd. Bhagwan geeft ook opdrachten. 'Kom terug in september en doe dan twee groepen,' of: 'Het is goed als je een tijdje blijft.'

De strikte hygiëneregels in de ashram zijn eenvoudig-weg noodzakelijk, want Bhagwan heeft een slechte constitutie. Hij is allergisch voor stof, heeft astma, eczeem, rugklachten en lijdt aan diabetes. Daarnaast wordt de ashram getroffen door hepatitis, dysenterie, tyfus en geslachtsziekten. Aan bezoekers wordt door een speciaal team gesnuffeld, want geurtjes van parfum en zeep beïnvloeden Bhagwans gezondheid. Tegelijkertijd is dit een methode om ongewenste sannyasins en bezoekers die kritiek hebben of op een andere manier gevaarlijk zijn, op afstand te houden.

Wegens herhaalde dreigementen van verscheidene groeperingen, zoals moslims die Bhagwans opmerkingen over de profeet Mohammed niet kunnen waarderen, wordt bovendien een bewakingsteam geformeerd.

De regels die in de commune van toepassing zijn, kunnen op stel en sprong worden veranderd. 'Wat er gebeurt, gebeurt,' is het credo.

Omdat kinderen volgens Bhagwan een afleiding zijn van diepe meditatie en weinigen in dit leven het karma hebben om kinderen te krijgen, raadt hij vrouwen aan zich te laten steriliseren. Men zegt dat er ter propaganda hiervoor in de ashram folders worden verspreid. Het gezin is niet het ideale uitgangspunt; relaties zijn er om je verder te brengen op je eigen pad en uiteindelijk kun je alleen jezelf gelukkig maken. Trouw zijn en jezelf plezier ontzeggen is ongezond, evenals afhankelijkheid (*Getting rid of co-dependency* is de naam van een populaire workshop). Kinderen worden liefdevol ontvangen want zij komen voort uit 'het goddelijke', maar onderhuids is voelbaar dat ze geen grote rol spelen.

Hoewel Bhagwan een vriendin heeft, Vivek, is het onduidelijk of deze relatie platonisch is of niet. Er gaan verhalen dat Bhagwan er veel seksuele relaties op nahoudt en met vrouwelijke sannyasins naar bed gaat tijdens privéaudiënties.

Bhagwan heeft aparte hobby's. Zo verzamelt hij handdoeken, pennen en gadgets. Door de toegewijde zorg van zijn sannyasins ontbreekt het hem nergens aan. Er wordt zelfs een kogelvrije Rolls Royce ingevoerd, naar verluidt de eerste Rolls in heel India. Omdat hij ook erg van de pers houdt, nodigt hij regelmatig journalisten uit om verslag te doen van zijn successen. De 2500 lezingen die hij geeft en de twee miljoen boeken die hij verkoopt, bereiken alle landen. Bhagwan is wereldberoemd en vergaart een kapitaal van tussen de vier en de tachtig miljoen dollar.

In 1981 barst de ashram in Poona uit zijn voegen. Om sannyasins de ruimte te geven en de droom van Bhagwan waar te maken – de grootste commune ter wereld stichten – wordt er naar een nieuwe locatie gezocht. Sheela is de drijvende kracht achter dit project.

Sommigen zeggen dat de schuld die de ashram bij de belastingdienst zou hebben – het zou om een bedrag van vijf miljoen dollar gaan – een reden is om naar een andere plaats uit te zien. Anderen houden het erop dat de buren van de ashram vervelend worden en dat de Indiase regering de constante toestroom van westerlingen zat is en voor problemen zorgt met visa-aanvragen. Er zijn zelfs schermutselingen op straat waarbij sannyasins beroofd en verkracht worden. Het helpt niet dat Bhagwan controversiële uitspraken doet over Moeder Teresa, Hitler, wereldleiders en religies. Desalniettemin ontstaan overal ter wereld vele kleine sannyasin-centra, waar gemediteerd en gewerkt kan worden.

In Nederland zou rond die tijd sprake zijn van zevenduizend sannyasins waarvan een deel elkaar ontmoet in ongeveer dertig kleine centra. Er zijn drie grotere sannyasin-centra, in Amsterdam, Den Haag en Rotterdam. Eind 1982 zou de Amsterdamse commune Sadhana zich vestigen in een leegstaande voormalige gevangenis aan de Amstelveenseweg.

In februari 1981 stopt Bhagwan met lezingen geven en begint aan een periode van ruim drie jaar stilzwijgen. Hij zegt dat hij een laatste fase in zijn werk heeft bereikt en dat zijn sannyasins hem ook zonder woorden zullen begrijpen. Bhagwan wil een transformatie van het bewustzijn op aarde teweegbrengen, oftewel een denkbeeldige Ark van Noach scheppen, waarin 'De Nieuwe Mens' (zijn volgeling) op een hoger plan kan leven, met Bhagwan aan het hoofd. Net als in de tijd van Boeddha, zullen de sannyasins rondom Bhagwan een 'oase' zijn te midden van de gewone wereld en de rest van de mensen 'aansteken met hun aroma van liefde en verlichting'.

Sheela wordt Bhagwans woordvoerder. In de zomer van 1981 koopt zij voor ruim vijf miljoen dollar een stuk grond in Oregon, Amerika ter grootte van 260 vierkante kilometer. Dit alles wordt in betrekkelijke stilte gedaan. De verrassing is dan ook groot als Bhagwan in 1981 met een selecte groep mensen is verdwenen. Er wordt beweerd dat hij vanwege zijn rugklachten naar een andere locatie is vertrokken.

In Europa wordt de samenwerking tussen nationale en

internationale communes en centra steeds hechter. Er worden grote feesten georganiseerd, waaronder The Orange Full Moon Party in het Frans Otten Stadion in Amsterdam. Hier zouden 4500 mensen op afkomen. Op de zeventien uur durende marathon van muziek, dans en theater dringt ook het nieuws door over Bhagwans verdwijning. Hooggeplaatste sannyasins uit Poona zijn aanwezig en bevestigen dat het, waar hij ook zit, goed gaat met Bhagwan.

Bhagwan blijkt naar de Verenigde Staten te zijn gereisd. Bij aankomst in Amerika zegt hij: 'Ik ben de Messias op wie Amerika heeft gewacht.' Als hiermee duidelijk wordt dat hij voorlopig niet terugkeert naar India, beginnen achtergebleven sannyasins aan de ontmanteling van de ashram in Poona.

Terwijl Bhagwan tijdelijk in New Jersey verblijft, werken sannyasins in Oregon dag en nacht door aan de ontwikkeling van de grootste commune ter wereld – het terrein dat Sheela heeft gekocht bestaat vooralsnog uit overbegraasde grond. De 'big muddy Ranch' wordt omgedoopt tot 'Rajneeshpuram' (City of the Lord of the Full Moon). Er worden wegen aangelegd, een startbaan, een dam, twee meren, er worden trailers geplaatst en er worden wintertarwe, zonnebloemen en gerst verbouwd.

Niet lang daarna komt Bhagwan aan op 'de Ranch', zoals Rajneehspuram al snel wordt genoemd. Bhagwans wens is nu bewaarheid: De Nieuwe Mens zal op de Ranch door meditatie en een hoge staat van bewustzijn grote bedreigingen in de toekomst het hoofd kunnen bieden. Er wordt bericht over zijn voorspellingen: vanaf 1985 tot het jaar 2000 zal het leven op aarde als enorm hevig worden ervaren. Het zal een tijd worden van ultieme destructie dan wel ultieme transformatie. Al snel breidt het aantal aanwezige sannyasins zich uit, vooral met nieuwe, jonge, Amerikaanse mensen.

Sheela, nu aan het hoofd van het nieuwe Rajneesh International – dit om juridisch en financieel een frisse start te kunnen maken – ondervindt van meet af aan problemen met de Amerikaanse regering. De Ranch blijkt in een bestemmingsplan te zijn aangewezen als landbouwgrond. Daarom moet er geheimhouding worden betracht met betrekking tot het aantal mensen dat op de Ranch woont, want het bestemmingsplan staat maar een beperkt aantal bewoners toe. Er ontstaat een juridische strijd tussen Rajneesh International en de lokale autoriteiten die weigeren nog langer bouwvergunningen af te geven. Omdat Sheela hier invloed op wil uitoefenen sommeert ze sannyasins in het nabijgelegen dorpje Antelope te gaan wonen en zich daar te mengen in de lokale politiek. Haar tactiek werkt: sannyasins verwerven een meerderheid in de gemeenteraad en leveren zelfs een burgemeester. De naam van Antelope wordt omgedoopt tot Rajneesh.

Sheela roept eind 1981 een nieuwe religie uit: het rajneeshisme. Nieuwe regels zijn van toepassing die in een klein boekje komen te staan dat Sheela uitgeeft. Verder moet voortaan aan Bhagwan worden gerefereerd met een hoofdletter H wanneer men over Hem iets opschrijft. Niemand mag Sheela, die zich inmiddels in Dior- en Gucci-kleding hult, Rolex-horloges draagt en in een Mercedes rijdt, in het openbaar tegenspreken.

De hiërarchie binnen de organisatie, aanvankelijk ook

wel aanwezig maar niet buitengewoon zichtbaar, wordt nu openlijk getoond door middel van het benadrukken van status. Ook hamert Sheela op ongewenste negativiteit van 'Rajneeshies'. Er moet honderd procent positiviteit zijn om alle problemen het hoofd te kunnen bieden. Zelfs ziektes worden als kwalijk beschouwd.

Sommigen zeggen dat de commune een totalitair karakter krijgt en dat overgave in feite gehoorzaamheid wordt.

Bhagwan volhardt in zijn stilzwijgen en niemand weet of hij het eens is met Sheela, of dat zij degene is die, zoals zij later stelt, zijn opdrachten uitvoert. Duidelijk is wel dat niet alleen Sheela transformeert tot een soort koningin, ook Bhagwan draagt geen eenvoudige witte jurken meer maar toont zich plotseling in kostbare gewaden. Ook breidt hij zijn collectie Rolls Royces uit. Er worden tientallen Rollses gekocht dan wel als cadeau ontvangen. Ondertussen wordt voortdurend om geld gevraagd aan sannyasins over de hele wereld. 'We weten niet of we geld hebben om Bhagwan volgende week te eten te geven,' wordt gezegd. Tot enige verbazing leiden deze veranderingen wel. Bhagwan bekritiseerde voorheen alle religies en nu staat hijzelf aan het hoofd van een religie. Maar 'wat gebeurt, gebeurt'; denkt men, en sannyasins gaan over tot de orde van de dag, ook als oudgedienden, zoals Laxmi en een persoonlijke bodyguard, door Sheela de deur wordt gewezen.

In Europa trachten sannyasins zoveel mogelijk geld te verdienen en de sannyasin *way-of-life* te propageren door talloze bedrijven te vestigen. Dat spiritualiteit niet gepaard hoeft te gaan met gematigdheid bewijzen ze met hun ondernemersgeest; sannyasins starten medische klinieken, holistische gezondheidscentra, therapeutische instituten, reisbureaus, disco's, restaurants, ontwerpstudio's, uitgeverijen, bouw- en computerbedrijven en schoonheidssalons. De pompende geldmachine valt op omdat de economie in de jaren tachtig niet rooskleurig is. Maar het is vooral de frisse aanpak, met veel aandacht en geduld voor klanten, die bij het 'gewone publiek' in de smaak valt.

Tijdens de zomer van 1982 vindt de First Annual World Celebration plaats, waar naar verluidt zesduizend sannyasins op af komen. De Second Annual World Celebration in 1983 trekt rond de vijftienduizend mensen, al zijn de exacte cijfers niet na te gaan. De Ranch is nu een stad met stadsrechten en alles is *American style*: sannyasins dragen cowboyhoeden en laarzen in plaats van lunghi's en andere loszittende Indiase kleding, er zijn een casino, een nachtclub en disco, een mall, de Rajneesh Deli, Rajneesh Photo Supply, Rajneesh Hair Design en Rajneesh Buddhafield Transport met honderdvijftien bussen.

De schermutselingen tussen de Ranch en de Amerikaanse autoriteiten verscherpen zich, mede door het feit dat de omliggende counties Wasco en Jefferson zich zorgen maken om het aantal bezoekers van Rajneeshpuram. De Amerikaanse immigratiedienst start een onderzoek omdat er vermoedens zijn dat sannyasins massaal in het huwelijk treden ten einde *green cards* te verkrijgen. Ook wordt er in 1982 een kleine bomaanslag gepleegd in een Rajneesh Hotel in Portland, wat voor Sheela reden is om het Rajneesh Peace Force op te richten, bestaande uit honderdvijftig 'politie-sannyasins'. Zij worden bewapend met halfautomatische geweren.

Ondertussen maakt Sheela de nieuwe voorspellingen van Bhagwan bekend. De nieuwe ziekte aids, eerst 'supergonorroe' genoemd, zal tweederde van de wereldbevolking treffen, en natuurrampen en atoomoorlogen zullen vanaf 1984 de wereld teisteren. Sheela gaat van start met het bouwen van schuilkelders waar iedereen het een paar jaar zou kunnen uithouden en het wordt sannyasins verboden seks te hebben zonder condooms en latex handschoenen – drie paar, twee voor de geliefden en het derde paar handschoenen om het eerste twee paar veilig mee uit te kunnen trekken. Al het 'besmette materiaal' gaat na gebruik in een afvalbak voor 'contaminated wastes'. Daarnaast moeten alle bewoners van de Ranch regelmatig een aidstest doen. Servies wordt met bleekwater gewassen en alles wat in aanraking komt met speeksel, waar het aidsvirus in kan zitten, wordt met alcohol schoongemaakt. De angst voor de 'nieuwe ziekte' gaat zelfs zover dat enveloppen en postzegels likken als gevaarlijk wordt beschouwd.

Het beleid van de Ranch wordt in alle internationale communes ter wereld, die nu een netwerk vormen en waar de voertaal Engels is, doorgevoerd. Rajneeshpuram wordt door deze communes financieel ondersteund. In ruil daarvoor vinden uitwisselingen plaats; buitenlandse sannyasins die vaste bewoner zijn in een van de internationale communes mogen tijdelijk op de Ranch verblijven.

Langzaamaan voelen veel sannyasins dat de veranderingen niet tot verbeteringen leiden, maar onder druk van de heersende moraal wordt er weinig ruchtbaarheid gegeven aan deze gevoelens. Bovendien kan kritiek tot verbanning leiden en hebben velen huis en haard verlaten en niets om naar terug te keren.

Op de Third Annual World Celebration in 1984 dreigen minder mensen af te komen, waarna het bericht wordt rondgestuurd, volgens sommigen een verzinsel, dat Bhagwan tijdens het festival wel eens 'zijn lichaam zou kunnen verlaten'. Om hem wellicht voor de laatste keer te kunnen zien, boeken sannyasins op het laatste moment toch een vlucht naar Amerika, om Bhagwan vervolgens in opperste gezondheid, rondrijdend in een van zijn inmiddels vijfenzeventig Rolls Royces, te begroeten. Nieuw fenomeen tijdens dit festival zijn het grote aantal controles en bewapende guards. Er zijn elf bemande uitkijktorens. Ook lijkt Rajneeshpuram een soort Disneyland te zijn geworden; voor alles moet grif betaald worden en er zijn souvenirs zoals spelkaarten, tarotkaarten, mokken en placemats, allemaal met Bhagwans gezicht erop, en stickers met de tekst: MOZES INVESTS, JESUS SAVES, BHAGWAN SPENDS.

Later wordt bekend dat in 1984 de telefooncellen op de Ranch worden afgeluisterd en dat er afluisterapparatuur is aangebracht in kantoren, huizen, kamers van gasten en in restaurants. Er zou iedere maand vijfentwintigduizend dollar aan munitie voor wapens worden ingeslagen om eventuele aanvallen van buitenaf te kunnen weerstaan.

Gedurende deze jaren vordert de Amerikaanse immigratiedienst, de INS, met haar onderzoek. Het toeristenvisum van Bhagwan blijkt niet te voldoen en hij krijgt ultimatum na ultimatum om het land te verlaten. Het onderzoek van de INS en inmiddels ook de FBI betreft immigratiefraude, schijnhuwelijken en allerhande illegale praktijken zoals afpersing en intimidatie, door de Amerikanen 'maffiapraktijken' genoemd. Telkens komt de

Ranch met eigen aanklachten waardoor de juridische strijd jaren voortduurt. De Ranch is zeer geïsoleerd; zelden lezen sannyasins iets anders dan de *Rajneesh Times*. Daardoor bereikt niet alle informatie alle commune-leden. Mensen die wel van zich doen spreken, worden zonder pardon de commune uitgezet en vervolgens geëxcommuniceerd. Sommigen duiken tijdelijk onder en vrezen voor hun leven.

Het verzet tegen Rajneeshpuram lijkt toe te nemen. Sheela zegt dat zij de Ranch zal beschermen 'tot op de laatste druppel bloed'. Volgens een onderzoeker van *The Oregonian*, een krant in Oregon, bezit de Rajneesh Peace Force inmiddels zevenenveertig zware wapens, waaronder zestien Uzi semi-automatische wapens en vijftien Galil Assault wapens. Maar er worden geen bewijzen geleverd voor agressie van buitenaf. Er wordt zelfs betwijfeld of de bomaanslag op het Rajneesh Hotel in Portland wel door niet-sannyasins is gepleegd. Om het te laten lijken op agressie van buitenaf, zouden sannyasins van de Ranch dit hebben gedaan.

Hoeveel volgelingen de Bhagwan-beweging precies heeft, wordt nooit helemaal duidelijk. Waar de een spreekt van mondiaal maximaal dertigduizend sannyasins, zegt de ander dat er tussen 1974 en 1984 een half miljoen mensen sannyasin worden. Sheela zou, om de Amerikaanse autoriteiten met betrekking tot het aantal aanwezige volgelingen om de tuin te leiden, de officiële papieren op een geheime plaats op de Ranch begraven. Om ontdekking te voorkomen laat zij een geasfalteerde weg op de geheime plek aanbrengen, die vooralsnog niemand heeft verwijderd.

Bhagwan begint in oktober 1984 weer met spreken. Hij verklaart een paar mensen verlicht, onder wie enkele Europese communeleiders. Later blijkt alles gebaseerd te zijn op een grap: hij wilde iedereen wakker schudden. Bhagwan zegt te weten dat hij dood zal gaan op een festival, maar niet dat jaar.

Om de juridische strijd voort te zetten en de verkiezingen in het naburige Wasco County te kunnen winnen, nodigt Sheela in het kader van het *Share A Home Programme* 3500 daklozen uit op de Ranch. Het idee is dat zij allen voor de Ranch zouden kunnen stemmen zodat Rajneeshpuram meer macht zou kunnen verwerven. Om dit te bewerkstelligen zou Puja, hoofd van de medische staf, het zware kalmeringsmiddel en antipsychoticum Haldol in het bier en in de aardappelpuree van de daklozen stoppen (later krijgt Puja de bijnaam 'nurse Mengele'). De autoriteiten van Wasco County doorzien Sheela's tactiek echter en ondervragen de daklozen. Wanneer het bewijs van het drogeren wordt geleverd, stuurt Sheela de daklozen weg en probeert een andere aanpak. Ze laat sannyasins de saladebuffetten in restaurants in The Dalles (de hoofdstad van Wasco County) met salmonella besmetten waardoor zevenhonderdvijftig mensen ziek worden. Het is de grootste massavergiftiging in de Amerikaanse geschiedenis. Bij de echte verkiezingen onthoudt Sheela zich van verdere criminele praktijken. De verkiezingen leveren geen succes op.

Op de Ranch gaat het van kwaad tot erger. Elf mensen die achter de afluisterpraktijken zijn gekomen, worden door Puja in isolatie gezet onder het mom dat ze besmet zouden zijn met het aidsvirus. Een van hen overlijdt. Het juridische onderzoek naar Rajneeshpuram loopt nog steeds, maar omdat er vierentwintig organisaties, bedrijven en instituten zijn opgericht en de Ranch achtentwintig bankrekeningen heeft waarvan twaalf in Zwitserland, is het voor de Amerikaanse autoriteiten moeilijk zich een weg te banen door deze kluwen en op te maken hoezeer de Rajneeshies de wet overtreden.

Ondertussen wordt de Sadhana-commune in Amsterdam te klein en kijken Nederlandse sannyasins uit naar een nieuw en groter onderkomen. In 1985 vinden zij een geschikt pand, een voormalig klooster op het Cornelis Troostplein in Amsterdam-Zuid. Op het hoogtepunt wonen er tweehonderdveertig mensen.

De internationale communes kunnen als eenheid worden beschouwd; goederen worden centraal ingekocht en gedistribueerd. De goed uitgekiende menu's voor de keukens worden opgemaakt in Amerika en overal gevolgd.

De Nederlandse sannyasin-kinderen worden onder begeleiding van volwassenen in een commune in de bossen bij Heerde ondergebracht, waar ook een school wordt gesticht.

In september 1985 verlaat Sheela tot ieders verbijstering plotseling de Ranch, samen met een aantal handlangers. Een schok gaat door de Bhagwan-beweging, vooral als bekend wordt dat Sheela een geheim laboratorium heeft vol muizen om gif op te testen, salmonellaculturen, kogelvrije vesten, boeken voor het toepassen van moord en banden met afgeluisterde gesprekken. Er zou een tunnel zijn gevonden die naar een gebied buiten de Ranch leidt.

In reactie op haar vertrek zegt Bhagwan dat Sheela een dictator was die een concentratiekamp van zijn commune wilde maken en dat zij zelfs hem afluisterde. Bovendien zou ze de koe voor de melk voor Bhagwan van een langzaam werkend gif hebben voorzien.

Bhagwan waarschuwt de FBI en de lokale politie om onderzoek te doen en stuurt Interpol op Sheela af. Die pakt haar en Puja een maand later op in Zwitserland en stuurt hen terug naar Amerika om daar berecht te worden voor poging tot moord, samenzwering voor moord, massavergiftiging en mishandeling. Sheela krijgt twintig jaar gevangenisstraf. Twintig anderen worden ook opgepakt, onder meer voor maffiapraktijken.

Bhagwan schuwt de pers niet en houdt vele interviews. Ook houdt hij lezingen over macht en fascisme. Bovendien schaft hij het Rajneeshisme, de rode kleren en de mala af, en geeft de opdracht aan alle sannyasins Sheela's rajneeshisme-boekje te verbranden. Het nieuws gaat de hele wereld over.

De Amerikaanse autoriteiten vinden ondertussen voldoende bewijs voor de arrestatie van Bhagwan zelf. Geïnfiltreerde sannyasins, die al jarenlang in de gaten houden waar de autoriteiten mee bezig zijn, hebben het echter door en raden Bhagwan aan per vliegtuig te vluchten. Een geschikt vliegtuig (naar verluidt ooit in het bezit geweest van generaal Kadhafi) wordt gevonden en Bhagwan vlucht, samen met onder andere zijn vriendin Vivek en Hasya, Sheela's opvolger, vermoedelijk op weg naar Bermuda. Bij een tussenstop in Charlotte in North Carolina worden zij echter aangehouden en vastgezet.

Bhagwan wordt onder meer beschuldigd van het aanzetten tot schijnhuwelijken en fraude wat betreft zijn verblijfstatus. In zijn vliegtuig wordt vijftigduizend dollar aan contant geld gevonden, goud en horloges en armbanden bezet met smaragd en diamanten ter waarde van een miljoen dollar. Zijn entourage wordt na vier dagen op borgtocht vrijgelaten. De inbewaringstelling van Bhagwan duurt twee weken – waarin hij interviews geeft in een grijs gevangenenpak – waarna hij op een borgtocht van vijfhonderdduizend dollar vrijkomt. Later die maand zegt hij schuldig te zijn aan een deel van het ten laste gelegde en betaalt hij vierhonderdduizend dollar boete. Hij krijgt tien jaar voorwaardelijke celstraf en moet binnen vijf dagen het land verlaten. Bij zijn vertrek in november 1985 zegt hij: 'Geen probleem, ik wil nooit meer terugkomen,' en: 'Als je de hel wilt ervaren, ga dan naar Amerika.'

In de Europese communes worden deze ontwikkelingen op de voet gevolgd. Sannyasins zijn in rep en roer en houden geregeld bijeenkomsten over hoe het nu verder moet. Na het Sheela-schandaal worden de communes weer onafhankelijk en kunnen ze hun eigen beleid bepalen.

De Ranch, waar van leegloop sprake was sinds Sheela's vertrek, valt na de arrestatie van Bhagwan definitief uit elkaar. De duizend sannyasins die er nog wonen, moeten midden in de winter en zonder geld een ander onderkomen zien te vinden. Om de enorme verliezen op te vangen, worden minstens vijftig van de zesennegentig Rolls Royces verkocht, maar dit kan niet voorkomen dat de laatste sannyasins geen koffers maar kartonnen dozen moeten gebruiken om hun spullen in mee te nemen. Toch vermelden verschillende bronnen dat het vermogen van de Ranch op vijftig miljoen dollar moet worden geschat.

Ten tijde van de vele arrestaties komen nog meer verhalen los. Bhagwan zou verslaafd zijn geweest aan lachgas en dagenlang Amerikaanse films hebben zitten kijken op zijn videorecorder. Het keukenpersoneel zou toegeven dat er zware kalmeringsmiddelen, zoals Haldol, werden toegevoegd aan sinaasappelsap, muesli en salades en aan het eten voor de kinderen. Bhagwan zou volgens sommigen gezegd hebben dat Sheela kwaad was omdat hij nooit het bed met haar deelde en zij daarom vertrok. Er zou een lijst gevonden zijn met menu's voor alle internationale communes waarop duidelijk te zien is dat de hoeveelheid eten die verschaft werd, langzaam werd verminderd om mensen uit te hongeren en scherp te houden. In Sheela's huis zou met hiv-besmet bloed zijn gevonden en zij zou rijke sannyasins drankjes met xtc hebben gegeven om hogere donaties te verkrijgen; de reeks belastende voorvallen is oneindig.

In een poging een nieuwe commune te stichten, reist Bhagwan de hele wereld over. Hij komt in Manali, de Bahama's, Griekenland, Engeland, Ierland, Jamaica en Uruguay. Hij zou ook in Canada, Zweden, Duitsland, Italië en Nederland tevergeefs asiel aanvragen. Uiteindelijk kiest hij ervoor, na een tijd rondtoeren ('The World Tour'), om terug te keren naar India waar hij zich in 1987 opnieuw in de ashram vestigt. Hij noemt zich Osho en staat aan het hoofd van het nieuwe Osho Meditation Resort, van alle gemakken voorzien en drukbezocht tot op de dag van vandaag.

Sheela wordt na tweeënhalf jaar gevangenschap in 1988 naar Duitsland overgebracht, maar vlucht dan naar Zwitserland, dat geen uitleveringsverdrag heeft met Amerika. Inmiddels werkt ze als bejaardenverzorgster. Vivek, de vriendin van Bhagwan, pleegt zelfmoord in een hotelkamer in Poona, in 1989. In januari 1990 overlijdt Bhagwan en wordt in het bijzijn van vele sannyasins gecremeerd. 'Maak geen religie van mij. Als ik weg ben, vergeet me dan,' zou hij zeggen.

Een heleboel mensen die Bhagwan zagen als 'de poort', die in hem iets vonden wat ze nergens anders hadden kunnen vinden, hebben in een paar jaar tijd de enorme groei en daarna de onthutsende ineenstorting van een beweging meegemaakt. Sindsdien gaan ze allen hun eigen weg, sommigen met andere sannyasins, sommigen bij een andere goeroe, sommigen beginnen een nieuw leven zonder meester.

Nog altijd is de mening van (voormalige) sannyasins over wat als het einde van de Bhagwan-beweging gezien kan worden, verdeeld. Bhagwan zou volgens de een net zoals het hoofd van een multinational van alles op de hoogte zijn geweest. De ander legt de schuld geheel bij Sheela en ziet Bhagwan als onschuldig. Een derde mogelijkheid zou zijn dat Bhagwan niet verantwoordelijk was voor wat er allemaal passeerde, maar dat hij Sheela doorzag en haar liet begaan zodat zijn sannyasins zouden leren wat fascisme is; een zogenoemd 'masterplan'. Immers, alles wat hij zei was een middel om sannyasins wakker te schudden. Maar aangezien Bhagwan is overleden is het onmogelijk de exacte details alsnog te achterhalen.

In Nederland brak de grootste commune uiteindelijk op. Veel sannyasins gingen op zichzelf wonen of reisden terug naar hun eigen land. Nog altijd is een klein deel van de voormalige commune in het pand aan het Cornelis Troostplein in Amsterdam bewoond. Sommige aanhangers van toen zijn nog daadwerkelijk sannyasin, gebruiken hun Indiase naam en ontmoeten elkaar. Enkelen van hen en het merendeel van de sannyasins in Poona, die het Osho Meditation Resort bestieren, hebben er sinds 1985 veel aan gedaan het beeld van Bhagwan als Messias of meester in ere te herstellen en kritiek op hem te ontzenuwen. Zij hebben daarbij veel succes; Bhagwan, oftewel Osho, geniet nog altijd veel belangstelling, vooral uit de voormalige Oostbloklanden.

Uiteindelijk maakt het niet veel uit of Bhagwan Sheela's marionet was of andersom. Feit is dat wat begon als een menselijk spiritueel experiment of utopie, het einddoel niet heeft gehaald en dat de voorspellingen van ultieme transformatie of ultieme destructie niet zijn uitgekomen. Men kan zeggen dat áls er een spirituele les te leren was, die was hoe het niet moet.

Namen- en woordenlijst

Air Rajneesh – vliegtuigmaatschappij van de Ranch
Alan Watts – naam van een bijgebouw van Rajneesh School Medina
Anand – letterlijk: 'gelukzaligheid'; voorzetsel bij sannyasin-naam
Annual World Celebration – jaarlijks zomerfestival op de Ranch, rondom Master's Day
Ashram – centrum, meestal rond een spirituele leraar of meester
Bankei – benaming van een van de kantoren in de commune
Bhagwan – letterlijk: de gezegende; voluit Bhagwan Shree Rajneesh, later Osho genoemd
Boeddhaveld – het 'spirituele energieveld' dat sannyasins wereldwijd of binnen een commune met elkaar vormen
Chaitanya – benaming van een van de kantoren in de commune
Deva – letterlijk: 'goddelijk'; voorzetsel bij sannyasin-naam
Drive-by – het moment op de Ranch waarop Bhagwan in zijn Rolls Royce langsrijdt en sannyasins zich aan de kant van de weg opstellen om hem te begroeten
Drop the Mind – veel geciteerde uitspraak en advies van Bhagwan. Het denken doen stoppen, niet analyseren, de weg van het hart volgen
Dynamic-meditatie – ochtendmeditatie waarin door middel

van hyperventilatie catharsis wordt bewerkstelligd
Gachchhami's – boeddhistisch gebed
Goeroe – letterlijk: iemand die een leerling van het donker naar het licht kan leiden; meester, leraar
Guru Poornima Day – dag waarop gevierd wordt dat meesters, zoals Bhagwan en Boeddha, bestaan of hebben bestaan. Valt op de dag van volle maan in de maand juli. Ook wel Master's Day genoemd
Hasya – nieuwe woordvoerster van Bhagwan na het vertrek van Sheela
INS – Immigration and Naturalisation Service, de Amerikaanse immigratiedienst, die onderzoek deed naar de Ranch vanaf 1981
Jesus Grove – het huis van Sheela
Kabir – naam van een van de tentenkampen op de Ranch
Kid's Line – speciaal op kinderen gericht buffet
Krishnamurti-meer – naam van een meer in Rajneeshpuram
Kundalini-meditatie – middagmeditatie waarbij het hele lichaam dient te worden geschud
Lao Tzu – naam van het huis van Bhagwan, vernoemd naar de Chinese wijsgeer
Laxmi – persoonlijke secretaresse van Bhagwan voordat Sheela deze functie overnam
Ma – letterlijk: 'moeder'; benaming voor een vrouwelijke sannyasin
Magdalena – naam van de centrale keuken in Bhagwan-communes
Maggie's – bijnaam voor Magdalena
Mala – kralenketting met 108 kralen en afbeelding van Bhagwan
Mandir – naam van de grote meditatiehal waar ook lezingen worden gegeven
Master's Day – andere benaming voor Guru Poornima Day
Meditatie – het tot rust brengen van de geest om innerlijke stilte te vinden
Message box – boodschappensysteem in de commune te Amsterdam
Music group – communeband

Nadabrahma-meditatie – middagmeditatie waarbij door middel van ademtechnieken en rustige bewegingen een toestand van innerlijke stilte wordt nagestreefd

Osho – nieuwe naam van Bhagwan na zijn terugkeer in India

Prem – letterlijk: 'liefde'; voorzetsel bij sannyas-naam

Pythagoras – ziekenhuis op de Ranch

Raidas – naam van de schoonmaakafdeling

Rajneesh Peace Force – benaming van de zwaarbewapende politie-eenheid op de Ranch

Rajneesh School Medina – kindercommune in Engeland

Rajneesh Times – de krant voor en door sannyasins

Rajneeshies – volgelingen, sannyasins, ten tijde van het rajneeshisme

Rajneeshisme – de religie die Sheela van de leer van Bhagwan had gemaakt

Rajneeshpuram – stad en grootste commune van Bhagwan, in Oregon, Verenigde Staten

Ranch – bijnaam voor Rajneeshpuram

Reminders – gebed waarin je jezelf en anderen motiveert voor de worship

Sanai Grove – nieuwe benaming voor het huis van Sheela op de Ranch

Sannyas – ceremonie waarbij de betrokkene aangeeft zijn leven te willen wijden aan spirituele ontwikkeling

Sannyas darshan – audiëntie met een verlichte meester waarbij de gast een inwijding tot leerling krijgt

Sannyasin – leerling, volgeling

Satsang – bijeenkomst met de goeroe, in stilte of met muziek

Sheela – privésecretaresse van Bhagwan tussen 1981-1985

Socrates – Benaming van de kantoren in Bhagwan-communes

Swami – letterlijk: 'heiligman'; benaming voor een mannelijke sannyasin

Verlichting – een staat van zijn waarbij de verlichte de hoogste staat van bewustzijn bereikt

Vimalkirti – naam van de inpandige communewinkel

Vivek – Bhagwans levensgezel vanaf 1972, overleden in 1989

Worship – werk als meditatie

Zarathustra – naam van de kantine op de Ranch, afdeling van Magdalena

Zennen – het aantal bezittingen tot een minimum terugbrengen

Zorba the Buddha – Contaminatie van Zorba de Griek en Gautama de Boeddha. Bhagwan propageerde voor zijn sannyasins een levenshouding waarin ruimte was voor spiritualiteit en genieten. Ook de naam van communedisco's